何進盛 林敬文 范淑芬 徐琬章
吳慧婷 陳秀美 蘇義穠 林文鎮
李 春 編著

新編五專國文

第二冊

文史哲出版社印行

國家圖書館出版品預行編目資料

新編五專國文/ 何進盛等編著. -- 初版. -- 臺北市：文史哲, 民 97.02
頁： 公分. --
ISBN 978-957-549-765-1（第二冊：平裝）

1.國文科 2.讀本

836 97001307

新編五專國文 第二冊

編著者：何進盛 林敬文 范淑芬
徐琬章 吳慧婷 陳秀美
蘇義穠 林文鎭 李春
出版者：文史哲出版社
http://www.lapen.com.tw
登記證字號：行政院新聞局版臺業字五三三七號
發行人：彭正雄
發行所：文史哲出版社
印刷者：文史哲出版社
臺北市羅斯福路一段七十二巷四號
郵政劃撥帳號：一六一八〇一七五
電話886-2-23511028・傳真886-2-23965656

定價新臺幣二八〇元

中華民國九十七年（2008）二月初版

ISBN 978-957-549-765-1

新編五專國文　第二冊　目次

編輯說明

一、本教材是根據教育部頒布九五學年實施之五年制專科學校課程綱要編寫而成，共分六冊，供五專一、二、三年級使用。

二、本教材有四大目標：其一、培養閱讀、寫作、鑑賞、批評之能力。其二、了解我國文學的理論、源流、類別，以及各個時代，各項文體的主要觀點、作家、作品。其三、訓練歸納、演繹、推論、判斷等思考方法。其四、確立適切的思想觀念、國家意識，體認民主精神、文化本質。

三、本教材之選文，兼顧到作品的體裁及內容，也留意到各個時代、各個流派的代表作家、作品；希望能做到「縱」的銜接——史的連貫，與「橫」的聯繫——類的擴充。除了創作作品外，還選了有關文學評論的文章。而為了增加教學的彈性，每一冊的文章篇數，也比實際能講授的多了一些，可供同學自行參閱。

四、本教材之編排，分文言文、文化教材（論孟學庸）、詩詞曲、白話文、應用文五部分，分別依其特性，做系統的編排。

1文言文：以教育部公布的四十篇核心文言文爲主，依難易分編於各冊。六冊分成三個循環（一、二冊一個循環，三、四冊一個循環，五、六冊一個循環），每個循環依「從古至今」之序選文；一個循環比一個循環更加深內容。篇名標有◎符號者，爲部頒「後期中等教育共同核心課程『國文』課程指引」之「十五篇文言文」參考選文。

2文化教材：第一、二冊選讀論語，每冊兩課，共四課，分別是有關「仁、忠、恕」、「孝、弟、義」、「禮、正名」、「宗教、天命」的篇章。第三、四冊選讀孟子，同樣每冊兩課，共四課，分別是有關「善性」、「義利、養氣」「性、命」「王道、仁政、民本」的篇章。第五冊選讀大學、中庸。

3詩詞曲：第一冊選絕句，第二冊選律詩，第三冊選詩經，第四冊選古體詩、樂府詩，第五冊選唐宋詞，第六冊選元代散曲。

4白話文：分理論、新詩、小說、散文四大類，含元明清古典小說、民國以來散文、小說，日據時代臺灣先賢散文、小說，現代作家散文、小說，及現代詩選等。

5應用文：第一冊爲「書信、便條、名片」，第二冊爲「柬帖、會議文書、傳真」，第三冊爲「契約、規章」，第四冊爲「履歷、自傳」，第五冊爲「一般公文」，第六冊爲「存證信函、啓事、廣告」。

五、本教材單篇體例，依教學之需要，分別有作者、題解、注釋、結構、欣賞、討論等項，除了敘述時講求簡要，使用語體文，不做考證之外，尙有幾點跟一般的教材不同：

1作者：生平介紹採年表式，以方便參閱。

2注釋：直接解說含意，非必要，不稱引典故或前人注文。

3結構：依文章性質，有的注重全篇綱目的整理，有的只做精華歸納，不是說說各段大意而已。

4欣賞：直接說出其蘊含或技巧所以高妙之處，而避用玄虛的形容語彙。

5討論：這是教材最特殊的部分，注重整體性的研思；透過「討論」，前述的編輯目標才可以落實，「國文課」也才不至於落入韓愈所謂「小學而大遺」。

六、依部頒課程綱要「國文二」：授課學分數爲3（語體：50％　文言：50％）。教學內容應包含：範文（記敘文4篇　抒情文3篇　論說文3篇）、文化教材、應用文、作文四部分。

七、本教材從策劃、訂體例、選文、編寫，一直到校稿完成，我們都竭盡心力，小心翼翼地在進行，唯才智有限，疏漏難免，還請高明之士多所指正，使本教材更精良，使國文教學更完美。

民國九十七年二月編者謹誌

一　醉翁亭記

歐陽修

【作者】

歐陽修，字永叔，號六一居士。江西廬陵人。

宋眞宗景德四年（西元一〇〇七年），歐陽修生。

眞宗大中祥符三年（西元一〇一〇年），四歲，父去世，母鄭氏守節教養他。家貧，常以荻畫地學書。

大中祥符九年（西元一〇一六年），十歲，於廢書簏中得韓愈遺稿，傾慕不已。

仁宗天聖八年（西元一〇三〇年），二十四歲，中進士，調西京（洛陽）推官，被留守錢惟演所重視。和留守幕府裡的古文家尹洙、詩人梅堯臣唱和，尹、梅二人後來成爲歐陽修改革文學運動的健將。

仁宗景祐元年（西元一〇三四年），二十八歲，回京任館閣校勘，參與編修崇文書目。

景祐三年（西元一〇三六年），三十歲，范仲淹因直言上諫被貶，修上書痛詆諫官，也被貶爲夷陵縣令。

宋仁宗慶曆三年（西元一〇四三年），三十七歲，還京知諫院，拜右正言，並奉命修起居注，知制誥。

慶曆五年（西元一〇四五年），三十九歲，上朋黨論，替韓琦、范仲淹辯護，遭小人誣陷，貶爲滁州刺史。在滁自號醉翁，有名的醉翁亭記就是這時作的。

仁宗皇祐元年（西元一〇四九年），四十三歲，知潁州，好當地西湖美景，有采桑子詞十闋，都是歌詠景物之作。

仁宗至和元年（西元一〇五四年），四十八歲，擢翰林學士，受命重修唐書。

仁宗嘉祐五年（西元一〇六〇年），五十四歲，新唐書修成，拜禮部侍郎，兼侍讀學士。不久升爲樞密副使。

嘉祐六年（西元一〇六一年），五十五歲，參知政事，和韓琦同心輔政，天下清平。

神宗熙寧四年（西元一〇七一年），六十五歲，與王安石政見不合，告老歸隱潁州。

神宗熙寧五年（西元一〇七二年），歐陽修死。

歐陽修是宋代文學改革運動的領導者，又是散文詩詞各方面的大作家。蘇東坡說他是宋朝的韓愈，這是恰當的。以詩歌來說，韓詩險怪，歐詩卻淺明通達。著有歐陽文忠公集。

【題解】

醉翁亭，在滁州城外西南六七里的地方，是歐陽修在慶曆五年（西元一〇四五年）貶官滁州時命名的。他常帶賓客到此地飲酒，放情於山水之間，自號「醉翁」，醉翁亭記，便是在這段時間所寫成的。

【本文】

環滁(1)皆山也，其西南諸峰，林壑(2)尤美，望之蔚然(3)而深秀者，瑯琊(4)也。山行六七里，漸聞水聲潺潺(5)，而瀉出於兩峰之間者，釀泉(6)也。峰回路轉(7)，有亭翼然(8)

臨於泉上者，醉翁亭也。作亭者誰？山之僧智僊也。名之者誰？太守⑼自謂也。與客來飲於此，飲少輒醉，而年又最高，故自號曰醉翁也。醉翁之意不在酒，在乎山水之間也；山水之樂，得之⑽心而寓⑾之酒也。

若夫日出而林霏⑿開，雲歸而巖穴暝，晦明變化者，山間之朝暮也；野芳發而幽香，佳木秀而繁陰，風霜高潔，水落而石出者，山間之四時也。朝而往，暮而歸，四時之景不同，而樂亦無窮也。

至於負者歌於塗，行者休於樹，前者呼，後者應，傴僂提攜⒀，往來而不絕者，滁人遊也。臨谿而漁，谿深而魚肥；釀泉爲酒，泉香而酒洌⒁；山肴野蔌⒂，雜然而前陳者，太守宴也。宴酣⒃之樂，非絲非竹⒄，射⒅者中，弈⒆者勝，觥籌交錯⒇，起坐而諠譁者，衆賓懽也。蒼顏㉑白髮，頹㉒然乎其間者，太守醉也。

已而夕陽在山，人影散亂，太守歸而賓客從也。樹林陰翳㉓，鳴聲上下，遊人去而禽鳥樂也。然而禽鳥知山林之樂，而不知人之樂；人知從太守遊而樂，而不知太守之樂其樂也。醉能同其樂，醒能述以文者，太守也。太守謂誰？廬陵㉔歐陽修也。

【注釋】

(1)滁—滁州，今安徽省滁縣。地當滁水之陽，爲江淮間之勝地。
(2)壑—溪谷。
(3)蔚然—草木茂盛的樣子。
(4)瑯琊—山名，在滁縣西南。
(5)潺潺—水流的聲音。
(6)釀泉—山泉名。因水清可以釀酒得名。
(7)峰回路轉—山勢回轉，路也跟著彎曲。
(8)翼然—如鳥舒展雙翼的樣子。
(9)太守—官名。秦置郡守，漢改爲太守。宋以後廢，歐陽修此時知滁州，故自稱爲太守。
(10)之—於。
(11)寓—寄託。
(12)林霏—林中之霧氣。
(13)傴僂提攜—傴僂，背曲，指老年人。提攜，牽引以行，指幼童。傴，音ㄩˇ。
(14)洌—清。音ㄌㄧㄝˋ。
(15)山肴野蔌—指山間之佳肴野菜。肴，熟肉。蔌，音ㄙㄨˋ，菜蔬。
(16)宴酣—宴會飲酒而樂。

(17)絲竹—泛指音樂。絲指絃樂如琴瑟，竹指管樂如簫管。

(18)射—指投壺。

(19)弈—指圍棋。

(20)觥籌交錯—觥，音ㄍㄨㄥ，酒器。籌，算籌，指行酒令時計算勝負之具。交錯，往來雜亂之意。

(21)蒼顏—蒼老的容顏。

(22)頹—醉倒。

(23)陰翳—昏暗不明。

(24)廬陵—即今江西省吉安縣。爲歐陽修之故鄉。

【結構】

請同學整理出本課的綱目

首段：

次段：

三段：

末段：

【討論】

一、請舉例說明滁州的風土人情。

二、歐陽修與賓客遊宴醉翁亭有何樂趣？

三、末段所云之樂趣有幾種，請說明其層次差異。

二　墨池記

曾　鞏

【作者】

曾鞏，字子固，世稱南豐先生，北宋建昌軍南豐縣（今江西省南豐縣）人。祖父曾致堯及父親曾易占，皆先後登進士第。

宋眞宗天禧三年（西元一〇一九年）生。

宋仁宗天聖八年（西元一〇三〇年），十二歲。能作文章，試六論時，援筆而成，文辭甚偉。

宋仁宗景佑元年（西元一〇三四年），十六歲。始刻苦向學，讀六經及古今文章，悉能明白於心，並立志與古今作家並駕齊驅。

宋仁宗景佑三年（西元一〇三六年），十八歲。到京赴試，未及第。結識王安石，時王安石年十六。

宋仁宗慶曆元年（西元一〇四一年），二十三歲。遊太學，上歐陽修第一書並獻雜文時務策兩篇，獲歐陽修賞識。

宋仁宗慶曆七年（西元一〇四七年），二十九歲。作醒心亭記，與歐陽修醉翁亭記互相輝映，同爲不同凡響的佳作。

宋仁宗慶曆八年（西元一〇四八年），三十歲。九月十三日，作墨池記。

宋仁宗嘉佑二年（西元一〇五七年），三十九歲。三月，與弟曾牟、曾布俱中進士第。

宋仁宗嘉佑三年（西元一〇五八年），四十歲。任太平州司法參軍。

宋仁宗嘉佑六年（西元一〇六一年），四十三歲。經歐陽修推薦，召回京師編校史館書籍。整理校勘古代書籍，如戰國策、新序、列女傳、陳書等等，細心校勘後，並撰寫各書目錄序，有許多獨到見解。

宋神宗熙寧二年（西元一〇六九年），五十一歲。任職編校已九年，自請外調，出爲越州通判。

宋神宗熙寧三年（西元一〇七〇年），五十二歲。仍通判越州。冬，改知齊州，爲政以去民疾苦、去除奸盜爲本，由是外戶不閉，道不拾遺。

宋神宗熙寧六年（西元一〇七三年），五十五歲，轉知襄州。

宋神宗熙寧九年（西元一〇七六年），五十八歲，徙知洪州充江南西路兵馬都鈐轄。

宋神宗熙寧十年（西元一〇七七年），五十九歲，授直龍圖閣，移知福州。

宋神宗元豐元年（西元一〇七八年），六十歲。召判太常寺，旋又改知明州、亳州、滄州。

宋神宗元豐五年（西元一〇八二年），六十四歲，在京任史館修撰，擢拜中書舍人。丁繼母憂。

宋神宗元豐六年（西元一〇八三年），六十五歲。四月，病逝於江寧府。南宋理宗時賜謚文定，世稱曾文定公。

曾鞏，生而機敏，十二歲能文，弱冠時已名聞四方，獲歐陽修及王安石稱許。然命運多舛，屢試不中；又因家境清寒，須撫育四弟及九妹；故遲至三十九歲，才與弟曾牟、曾布，同年考上進士。此後三十餘年，仕途雖平易，但久任史館編校，及長年外調知州，難以展其抱負，因此政績不如文名之盛。

曾鞏是唐宋八大家之一，史稱其文章「本原六經，斟酌於司馬遷、韓愈，一時工文辭者，鮮能過也。」故卓無自成大家。其文學創作，主張「蓄道德而後文章」，作品中常可見其載道思想；兼之文章風格淡雅醇正，說理明白詳盡，語言凝煉簡潔，涵養柔婉深厚，因此彬彬然有儒者風範。傳世著作有元豐類稿五十卷，隆平集二十卷。

【題解】

本文選自元豐類稿卷十七，是作者應撫州州學教授王盛之請所作，文字質樸簡潔，意義深遠，堪稱爲「名家名作」，頗能代表曾鞏散文的特色。文中以王羲之之「臨池學書，池水盡黑」的軼事，結合其書法到晚年才臻於精妙的史實，說明王羲之在書法藝術上的卓越成就，是積學苦練所致，並非天成。作者藉此勉勵學者，強調勤學的重要。

本篇就事論理。結構嚴謹，首先由張芝墨池，牽引到王羲之墨池；緊接著由王羲之在書法上的精力自致，引申到深造道德；最後由人之有一能，推論到仁人莊士之遺風餘思；敘事論理，舒卷自如，發人深省。清沈德潛評曰：「用意在題中，或出題外，令人徘徊賞之。」意即在此。

墨池，據荀伯子臨川記云：「王羲之嘗爲臨川內史，置宅於郡城東高坡，名曰新城。旁臨回溪，特據層阜，其地爽塏，山川如畫。今舊井及墨池猶在。」本篇即據此加以發揮而成。

【本文】

臨川⑴之城東，有地隱然⑵而高，以臨於溪，曰新城。新城之上，有池窪然⑶而方以長，曰王羲之⑷之墨池者⑸，荀伯子⑹《臨川記》云也。羲之嘗慕張芝⑺，臨池學書，池水盡黑。此爲其故迹，豈信然邪⑻？

方羲之之不可強以仕⑼，而嘗極東方⑽，出滄海，以娛其意於山水之間，豈其徜徉肆恣⑾，而又嘗自休於此邪？羲之之書晚乃善⑿，則其所能，蓋亦以精力自致者⒀，非天成也⒁。然後世未有能及者，豈其學不如彼邪？則學固豈可以少哉！況欲深造道德⒂者邪？

墨池之上，今爲州學舍⒃。教授⒄王君盛恐其不彰也⒅，書「晉王右軍墨池」之六字於楹⒆間以揭⒇之，又告於鞏曰：「願有記。」推㉑王君之心，豈愛人之善，雖一能㉒不以廢，而因以及乎其迹㉓邪？其亦欲推其事㉔以勉學者邪？夫人之有一能，而使後人尚㉕之如此，況仁人莊士㉖之遺風餘思㉗，被㉘於來世者如何哉！

慶曆八年九月十二日，曾鞏記。

【注釋】

⑴臨川－宋朝江南西路撫州治所，今江西省臨川縣。
⑵隱然－突然的樣子。
⑶窪然－形容水池凹陷之狀。窪，音ㄨㄚ。

(4)王羲之—字逸少，東晉琅琊臨沂（今山東省臨沂縣）人。工書法，草書學張芝，正書學鍾繇，後人尊爲「書聖」。晉穆帝時任右軍將軍，會稽內史，故世稱王右軍。

(5)墨池—王羲之洗滌筆硯的水池。

(6)荀伯子—南朝宋潁陰（今河南省許昌縣）人。曾任臨川內史，著有臨川記六卷。

(7)張芝—字伯英，敦煌酒泉（今甘肅省酒泉）人。擅長草書，故譽爲「草聖」。王羲之曾說：「張芝臨池學書，池水盡黑，使之耽之若是，未必後之也。」

(8)豈信然邪—信，確實。傳爲王羲之墨池舊迹，不僅此處，還有浙江會稽、浙江永嘉等多處。

(9)不可強以仕—不能勉強而當官。據晉書記載，謂王羲之與驃騎將軍王述齊名，但王述爲人，素被王羲之所輕視。羲之任會稽內史時，王述爲揚州刺史，督察會稽刑政。羲之受其管轄，深以爲恥辱，遂稱病請辭，並在父母墓前發誓，不再出仕。羲之從此隱居會稽山陰（今浙江省紹興市），與東晉名士孫綽等人，徜徉山水，泛舟滄海，並說：「我卒當以樂死。」

(10)東方—泛指浙東、浙中諸郡。

(11)肆恣—任意盡情，不受拘束。

(12)晚乃善—晚年才達到完善精美。羲之書法，早年與庾翼、郗愔等人不相上下，到晚年筆勢矯如游龍；庾翼見到羲之草書，歎曰：「渙若神明！」

(13)精力自致—指自己刻苦努力才達到。

(14)天成—天才所致，天賦所造成。

(15)深造道德—在道德修養上達到很高造詣。

⒃州學舍—指撫州官學的校舍。
⒄教授—官名，宋學路學、州學中主管教育的官員。
⒅不彰—指墨池的來歷不能彰顯。
⒆楹—廳堂的前柱。
⒇揭—揭示、懸掛。
(21)推—推測。或作「惟」，念也。
(22)一能—一技之長。
(23)迹—遺迹，指墨池。
(24)推其事—推崇王羲之臨池勤學的精神。
(25)尚—崇尚。
(26)仁人莊士—指修道行仁，端莊正直的人。
(27)遺風餘思—遺留下來的風範和美德。
(28)被—加在……之上，指影響。被，通「披」。

【結構】

請同學整理出本課綱目，並分析全篇文章的作法。

【討論】

一、請就本課內容，說明王羲之書法成就的原因？今人如何才能趕上而超越呢？
二、作者從王羲之書法上的成就，引申到深造道德，其用意爲何？
三、請說明作者爲墨池作記的目的。

三　上樞密韓太尉書

蘇　轍

【作者】

蘇轍，字子由，北宋眉山（今四川省眉山縣）人。

宋仁宗寶元二年（西元一〇三九年），生於眉山故鄉。

仁宗嘉祐二年（西元一〇五七年），十九歲，與兄軾一同考取進士。

仁宗嘉祐五年（西元一〇六〇年），二十二歲，任商州軍事推官。

神宗時（西元一〇六八年－一〇八五年），與王安石新法不合，出任河南推官。

哲宗元祐元年（西元一〇八六年），四十八歲，司馬光等當國，廢新法，被召入京為右司諫。官至尚書右丞、門下侍郎，參與機要，多所貢獻。

哲宗紹聖元年（西元一〇九四年），五十六歲，新黨再次得勢，蘇轍屢遭貶謫，出掌汝州、袁州等地。

徽宗時（西元一一〇一年開始），復官大中大夫，不久又歸隱許州（今河南省許昌縣），築室潁水之濱，自號「潁濱遺老」，讀書學禪著述自娛。

徽宗政和二年（西元一一一二年）卒，七十四歲，諡文定。

蘇轍個性，沈靜高潔，資稟敦厚。所作文章，汪洋淡泊，法度整齊，與其父兄並稱「三蘇」，都被列爲唐宋古文八大家，著有欒城集。

【題解】

樞密，即樞密使，宋樞密院長官，掌管軍國要務。

韓太尉，即韓琦，字稚圭，河南安陽人，宋仁宗嘉祐元年（西元一〇五六年），任樞密使，與歐陽修同朝。後來西夏進攻宋朝，韓琦奉派爲經略招討使，與范仲淹一同帶兵前往陝西拒戰，獲得勝利。他歷事仁宗、英宗、神宗三朝，封魏國公，死後諡「忠獻」。太尉，秦漢時全國軍事首領，後來有名無權，遂成爲武官的尊稱，所以蘇轍在信中稱韓琦爲「太尉」。

蘇轍於嘉祐二年（西元一〇五七年）登進士後，很想拜謁當時樞密使韓琦，於是在京師寫了這封信，表達他對韓琦的崇敬和仰慕。

【本文】

太尉執事⑴：

轍生好爲文，思之至深，以爲文者氣之所形⑵，然文不可以學而能，氣可以養而致。孟子曰：「我善養吾浩然之氣⑶。」今觀其文章，寬厚宏博⑷，充乎天地之間，稱⑸其氣之小大。太史公⑹行天下，周覽四海名山大川⑺，與燕、趙間豪俊交游⑻，故其文疎蕩，頗有奇氣(9)。此二子者，豈嘗執筆學爲如此之文哉？其氣充乎其中，而溢乎其貌，動乎其言，而見(10)乎其文，而不自知也。

轍生十有九年矣，其居家所與游者，不過其鄰里鄉黨(11)之人，所見不過數百里之間，無高山大野，可登覽以自廣(12)；百氏之書(13)雖無所不讀，然皆古人之陳跡，不足以激發其志氣。恐遂汩沒(14)，故決然捨去(15)，求天下奇聞壯觀，以知天地之廣大。

過秦漢之故都(16)，恣觀終南、嵩、華之高(17)，北顧黃河之奔流，慨然想見古之豪傑。至京師(18)，仰觀天子宮闕之壯，與倉廩府庫(19)、城池苑囿(20)之富且大也，而後知天下之巨麗。見翰林歐陽公(21)，聽其議論之宏辯，觀其容貌之秀偉，與其門人賢士大夫遊，而後知天下之文章聚乎此也。

太尉以才略冠天下，天下之所恃以無憂，四夷之所憚以不敢發(22)；入則周公、召公(23)，出則方叔、召虎(24)，而轍也未之見焉。且夫人之學也，不志其大，雖多而何爲？轍之來也，於山見終南、嵩華之高，於水見黃河之大且深，於人見歐陽公，而猶以爲未見太尉也，故願得觀賢人之光耀，聞一言以自壯，然後可以盡天下之大觀而無憾者矣。

轍年少，未能通習吏事，嚮(25)之來，非有取於升斗之祿(26)，偶然得之，非其所樂。然幸得賜歸待選(27)，使得優游數年之間，將歸益治其文，並學爲政。太尉苟以爲可教而辱教之(28)，又幸矣。

【注釋】

(1)執事—對人的尊稱，猶如「左右」，不敢直接與對方交談，只敢傳話給底下執行事務的人。
(2)文者……所形—文章是一個人氣質的表現。氣，氣質、氣度。形，表現。
(3)浩然之氣—至大至剛的正氣。浩，盛大。
(4)寬厚宏博—氣勢寬大雄厚、宏遠廣博。
(5)稱—音ㄔㄣˋ，配合，與……一致。
(6)太史公—官名，即太史令，漢司馬遷曾任此官，而完成不朽巨著—史記，後世遂用來專稱司馬遷。
(7)周覽……大川—周覽，看遍了。四海，即四海之內，指全國。
(8)燕趙……交游—燕，今河北一帶。趙，今山西一帶。相傳這兩國多慷慨豪俊之士。
(9)其文……奇氣—疎蕩，豪放不受拘束。奇氣，奇特的氣勢。
(10)見—通「現」。
(11)鄰里鄉黨—鄉里的統稱。古時五家爲鄰，五鄰爲里，二十里爲黨，二十五黨爲鄉。
(12)自廣—增廣自己的見聞。

⒀百氏之書—指各家之著述。
⒁遂汩沒—遂，最後。汩沒，消沈隱沒，沒有大志。汩，音ㄍㄨˇ。
⒂捨去—離開家鄉。
⒃秦漢之故都—秦都咸陽，今陝西咸陽縣。漢都長安，今陝西長安縣。
⒄恣觀……之高—恣，盡情。終南，終南山，在陝西省長安縣南。嵩，嵩山，在河南省登封縣北。華，華山，在陝西省華陰縣南。
⒅京師—北宋都汴京，在今河南開封縣。
⒆倉廩府庫—倉廩，貯藏米糧之所。府庫，儲藏文書財帛之所。
⒇城池苑囿—城，城牆。池，護城河，苑囿，飼養禽獸的地方。
(21)翰林歐陽公—翰林，指翰林學士，負責撰擬機要文書的官。歐陽公，指歐陽修。歐陽修在仁宗至和元年（西元一〇五四年）做翰林學士，受命重修唐書。蘇轍與兄軾都是歐陽修所拔擢的進士。
(22)四夷……發—古時把東夷、西戎、南蠻、北狄總稱四夷。發，出兵侵犯。
(23)入則……召公—在朝輔佐天子，就如同周公、召公一般。周公姬旦，召公姬奭（ㄕˋ），都是周文王的兒子、周武王的弟弟。武王死後，成王年幼，由周公和召公共同輔政，稱爲「共和」。
(24)出則……召虎—在外經略邊境，就如同方叔、召虎一般。方叔、召虎曾代周宣王出征，平定荊蠻、淮夷，中興周室。
(25)嚮—從前。
(26)升斗之祿—菲薄的俸祿。

(27)待選─等候選拔任職。

(28)辱教之─委屈自己來教導我，是謙虛尊敬的話。辱，這裡指委屈身分。

【結構】

這是一篇聯絡感情的應酬信，最難下筆，蘇轍卻能表現得不卑不亢。請同學先整理出本課綱目，而後由老師分析。

【討論】

1. 蘇轍所謂「文不可以學而能」的道理何在？
2. 蘇轍爲何想見韓琦？
3. 蘇轍用那些方式來養氣？

四　賣柑者言

劉　基

【作者】

劉基，字伯溫，浙江青田（今永嘉縣）人，元武宗至大四年（西元一三一一年）六月十五日生，明太祖洪武八年（西元一三七五年）四月十六日卒，年六十五。

曾祖濠，仕宋為翰林掌書。劉基自幼聰慧，元末至順年間舉進士，除高安縣丞，有清白公正之名聲。江浙行中書省徵召，他推辭不受，又被舉用為江浙儒學副提舉。但因上書論御史之不盡職以致有所過失，被御史故意妨礙，於是自劾罪狀而辭官。旅行杭州，遨遊西湖。

劉基博通經史，於書無所不窺，尤精日月五星之學，當時善於評論人物者，以為劉基乃江南人物之第一，被歸為三國諸葛亮之類。元末天下大亂，江浙行中書省數度徵召劉基為官，建策剿撫，然卻觸怒受賊人方國珍賄賂之朝中權貴，反因功成過，於是遂棄官歸青田隱居，著述寓言集《郁離子》，以表明其對政治教化、社會國家之志。明太祖起兵江南時禮聘劉基，因此佐明太祖克陳友諒、取張士誠、北伐中原，料事如神，奠定大明江山，累官至御史中丞、弘文館學士。太祖大封功臣，授劉基開國翊運守正文臣、資善大夫、上護軍，封誠意伯。然因劉基個性剛直、厭恨惡事，時常與奸人不合，晚年更是遭受奸臣胡惟庸所構陷，導致明太祖奪其爵祿，劉基因此憂憤病發，胡惟庸遣醫為其治病，藉此藥中下毒，劉基以是致死。其文章，文氣美善正當而出大眾，與宋濂並列為明代文壇之宗主。著有《郁離子》、《犁眉公集》傳世。

【題解】

這是一篇寓言，屬於雜記類寓言文體（所謂寓言：是指「寄寓之言」、「言在此而寄託他人」、「意在此而寄於彼」，包含「寓體」與「本體」兩部份，以冷俊的筆調來托物詠事，使讀者能自省。）本文旨在藉由描述「賣柑者」欺人之事件，來諷刺元朝「文武大官們」欺世的行為。作者以「欺」字出發，指出當時官員實為「虛有其表」之人，不但無能，而且專作些欺世盜名之事，實為「金玉其外、敗絮其中」之弊。作者從描述杭人賣柑欺人之事起筆，再藉由賣柑者之言，反諷當朝文武官員欺世盜名的行徑；最後點出其寫作本文之動機：諷喻官員們不知愛民之失。

【本文】

杭(1)有賣果者，善藏柑(2)，涉寒暑不潰(3)，出之燁然(4)，玉質而金色(5)。置於市(6)，賈(7)十倍(8)，人爭鬻之(9)。予貿得其一(10)，剖之，如有煙撲口鼻(11)；視其中，則乾若敗絮(12)。

予怪而問之曰：「若⒀所市⒁於⒂人者，將以實籩豆⒃、奉祭祀⒄、供⒅賓客乎？將炫外以惑愚瞽⒆乎？甚矣哉⒇！為欺也(21)。」

賣者笑曰：「吾業是有年矣(22)，吾賴是以食吾軀(23)。吾售之，人取之，未聞有言；而獨不足(24)於子(25)乎！世之為欺者不寡(26)矣，而獨我也乎？吾子未之思(27)也！今夫佩虎符(28)、坐皐比(29)，洸洸(30)乎干城之具(31)也，果能授孫、吳之略耶(32)？峨大冠(33)、拖長紳(34)者，昂昂(35)乎廟堂之器(36)也，果能建伊、皐之業(37)耶？盜起而不知御(38)，民困而不知救，吏奸(39)而不知禁(40)，法斁(41)而不知理(42)，坐糜廩粟(43)而不知耻。觀其坐高堂(44)、騎大馬(45)、醉醇醴(46)而飫肥鮮(47)者，孰不巍巍乎可畏(48)，赫赫乎可象(49)也？又何往(50)而不金玉其外、敗絮其中(51)也哉？今子是之不察(52)，而以察吾柑！」

予默默(53)無以應(54)。退(55)而思其言，類東方生滑稽之流(56)。豈其忿世嫉邪者(57)耶？而託於柑以諷(58)耶？

【注釋】

⑴杭—今浙江杭州。

⑵柑—音ㄍㄢ，長綠灌木，高丈餘，葉長卵形，初夏開白花，五瓣，果實形圓，皮為青色，未經霜時仍酸，霜後始熟，皮色黃赤，味甘甜，皮緊不易剝。柑與橘不同。橘之果實小，其瓣味微酸，皮薄而紅；柑之果實大於橘，其瓣味甘甜，皮厚而黃。

⑶涉寒暑不潰—經歷嚴寒和酷暑還沒腐爛。涉，經歷。潰，腐爛。

⑷燁然—火光貌。此謂柑之外皮光色如同火之光亮一般。

⑸玉質而金色—此處指柑之果實表皮像玉之質地潤澤，像金子之金黃閃亮的色彩。

⑹市—人口聚集、繁華熱鬧、買賣交易的市集，亦指古代行刑之處。此處作名詞用。

⑺賈—音ㄐㄚˋ，指售值、物價；與價同。

⑻十倍—此指比原價多增加十等份。倍，加。凡財物人事加等曰倍。

⑼鬻之—此處指人們出錢購買「賣柑者」所出售之柑。鬻，音ㄩˋ，賣也，出售也。

⑽予貿得其一—我買到其中之一。貿，買也。

⑾如有煙撲口鼻—好像有煙塵撲向口鼻。煙，指塵埃。

⑿乾若敗絮—乾燥的樣子好像是衣被中敗壞腐化的破舊棉絮。

⒀若—汝，你也。

⒁市—賣。此處當動詞用。

(15) 於—常用於句中，做為對向、方向之助詞。

(16) 實籩豆—此指裝滿在祭拜的器皿。實，盛滿。籩，竹製形狀如豆之食器，盛濕物；豆，木製形狀如豆之食器，盛濕物。籩豆，用於祀天神、祭地祇、獻祖先、召臣與之共食時所用之禮器。

(17) 奉祭祀—供奉進獻祭品以祀天神、地神。

(18) 供—此處指設宴、供給膳食。供，設也，供給也。

(19) 炫外以惑愚瞽—此指誇耀以迷惑昧於事理的人。炫，誇耀。惑，迷眩。愚，無智之人。瞽，指有目卻不能分別善惡的人。愚瞽，昧於處理事理的人。

(20) 甚矣哉—太過分了！甚，過度。

(21) 為欺也—這是使用詐騙的手段啊。為，音ㄨㄟˊ，施行，使用。欺，詐騙。

(22) 業是有年矣—以此為職業許多年了。業，以……為職業。是，此也。有年，多年。

(23) 賴是以食吾軀—憑藉這個行業來過活。賴，恃也，憑靠也。食，音ㄙˋ，養也。吾軀，我的身體。

(24) 不足—不滿，不平，不悅。

(25) 子—你。亦為男子之通稱。

(26) 不寡—不少。寡，少也。

(27) 未之思—沒有考慮到這個情況。之，此也。思，考慮也。即「未思之」的倒裝。

(28) 佩虎符—佩帶虎形之兵符，此指武將。虎符為發兵之信物，有玉製、銅製、竹製三種，上刻有文字，剖為左右兩半，國君與外將各執其一；國家將發兵，必遣使者持國君之符前往合符，符合乃聽受之。

(29) 坐皋比—坐在放置虎皮的座位上，此指武將。皋，音ㄍㄠ，比音ㄆㄧˊ。皋比，虎皮。

(30)洸洸──果敢堅決、意志堅定的樣子。洸，音ㄍㄨㄤ。

(31)干城之具──謂保家衛國的大將。干，作名詞時音ㄍㄢ，指盾也；作動詞時音ㄏㄢˋ，與扞通，捍衛也。具，本指器具，此暗指能保衛家國之人才。

(32)果能授孫、吳之略耶──此指果真是能教之孫武、吳起之計謀嗎？授，教之也。孫、吳，孫子與吳起，均為古代兵法家，世人言其善用兵者，以「孫吳」一詞代之。略，計謀，計畫。

(33)峨大冠──戴著高大冠帽，此指文官。峨，音ㄜˊ，高也，高戴也。大冠，為文官之冠。

(34)拖長紳者──拖引著長腰帶，為文官之服飾特徵，此指文官。拖，牽引。紳，音ㄕㄣ，大帶也，大臣束衣之腰帶也。長紳，又長又大的腰帶。

(35)昂昂──志氣高昂、出群的樣子。昂，高也。

(36)廟堂之器──此指朝廷有用的人才。廟，宗廟，先組之所居也，祀先人之宮室也，轉為國家之意。堂，殿也，明堂也，明政教之堂，布政之堂。廟堂，即宗廟與明堂，轉為朝廷之意。

(37)果能建伊、皐之業耶──果真能建立像伊尹、皐陶般的基業嗎？伊，指殷湯王時賢相伊尹。皐，指虞舜時賢相皐陶，兩人都是古代良相。業，基業。

(38)御──御，禦也，防禦、抵擋之意。

(39)吏奸──此指治民之官犯法貪求私利。吏，治人之也，官吏也。奸，犯法貪求私利。

(40)禁──禁令止息。禁，止也，指禁止政令為奸臣所敗壞。

(41)法斁──刑罰敗壞。法，刑罰。斁，音ㄉㄨˋ，敗也，壞也。

(42)理──理，法也，此指整治法令。

⑷3 坐糜廩粟—指居官位無所作為，徒領國家所之供給之食粟、俸祿。坐，徒也，空也，枉也。糜，散也，耗散。廩，音ㄌㄣˇ，此處作動詞使用，給食俸祿也。粟，音ㄙㄨˋ，穀之有殼者曰粟，此處指俸祿。

⑷4 坐高堂—居坐在高堂上，此指高官。高堂，正室也，正寢也。古代天子、諸侯所居治事之所。

⑷5 騎大馬—騎著高大的駿馬，此指權位大的官員們。

⑷6 醉醇醴—陶醉在香醇美酒，此指陶醉在自以為政治純厚中不能清醒。醉，指酒酣而昏昧不清。醇，音ㄔㄨㄣˊ，指純厚不雜的濃酒。醴，音ㄌㄧˇ，濁而甜的美酒。

⑷7 飫肥鮮—飽食魚肉之肥鮮，此指飽食所貪求之利益，而不自知。飫，音ㄩˋ，飽食。肥鮮，新鮮之魚、肉。肥，俗謂利益曰肥，如分人之物曰分肥。鮮，新殺的，剛宰割的。

⑷8 孰不巍巍乎可畏—誰不是富貴顯要，讓人心生畏懼。孰，音ㄕㄨˊ，誰也。巍巍，高大的樣子，此指富貴顯要的樣子。可畏，讓人心生恐懼。

⑷9 赫赫乎可象—地位光明顯著，就像赤焰一般的顯赫。赫赫，光明顯著的樣子，此指地位、聲望、威勢顯盛的樣子。可象，可以用火焰赤盛的樣子來象徵比擬。象，擬也，類也，似也。

⑸0 何往—到哪裡。往，之也，至也。

⑸1 金玉其外、敗絮其中—像金玉一般的外表下，卻有敗絮一般的內在。金玉，黃金與珠玉，此指光鮮亮麗的樣子。敗絮，即衣被中的破絮，此指內在的損壞。

⑸2 不察—不仔細檢查。

⑸3 默默—指若有所失而不言的樣子。

⑸4 無以應—此指理虧而無法回答。應，回答。

(55)退—歸去，回去。

(56)類東方生滑稽之流—像東方朔之同流者。類，似。東方生，指東方朔，善於文辭，喜歡說詼諧滑稽之言。漢武帝時，常以滑稽的談話內容寄託諷諫之意，說給武帝聽；武帝亦常因其言而時有感觸與領悟。滑，音ㄍㄨˇ，轉化也；稽，音ㄐㄧ，障礙也。滑稽，指辯捷之人說非若是，說是若非，能轉化一般人觀念中的異與同、是與非之相對分別的想法，去除一般人心中的認知障礙。流，同輩。

(57)豈其忿世嫉邪者—難道他是憤恨、厭惡世俗邪惡欺偽的人。忿，忿恨、忿怒。世，人間，世俗。嫉，憎嫌、厭惡。邪，邪惡、不正、欺偽。

(58)託於柑以諷—寄託其言於柑來譬喻世俗之弊。託，寄寓也。諷，譬喻也，以婉曲之言相勸諫，不用正面之言而以微詞託意。

【問題與討論】

一、請問本文所描述之文武大官「金玉其外敗絮其中」的行為有那些？

二、請以今日的角度檢視古代「文武大臣」他們為何會出現如此「虛有其表」的行徑呢？

三、請問杭州賣柑者，所賣的柑，有何特色？他的行為與「文武大臣」有何相似處？

四、何謂寓言？

五、請問明太祖欣賞劉基那些人格特質？

五　項脊軒志

歸有光

【作者】

歸有光，字熙甫，江蘇昆山人。生於明武宗正德元年（西元一五〇六年），卒於明穆宗隆慶五年（西元一五七一年），六十六歲。

少時十分聰穎，九歲即能作文章，二十歲通五經三史，三十五歲考鄉試得第二名，赴京考試八次不及第。

明世宗嘉靖四十四年（西元一五六五年），六十歲，考上進士，擔任湖州長興知縣，因常擱置不便民的上令，爲長官所不喜，調順德通判，專轄馬政。

穆宗隆慶四年（西元一五七〇年），六十五歲，任南京太僕丞。次年，死於任內。

歸氏喜好讀書談道，弟子有數百人，被稱爲「震川先生」。他喜歡讀司馬遷、韓愈、歐陽修的文章，以唐宋古文爲文章的楷模，反對當時李攀龍、王世貞等人模擬秦漢文的作風。他的文章明淨有法度，與王愼中、唐順之，並稱爲「嘉靖三大家」，或者加上宋濂、方孝孺、王守仁，並稱「明代六大家」。清代桐城派方苞、姚鼐、曾國藩等，都很推崇他的文章。可惜他一生的精力大部分都耗在八股上，應酬的文字很多，卻缺乏內容，說理也難免粗俗，記事可有可無。

【題解】

宋朝時，歸有光的遠祖歸道隆，居住在太倉的項脊涇，作者乃以「項脊」做爲軒名，一方面表示懷念祖先，一方面取其短窄之意，好像在項脊之間而已。軒，是小室。

整篇「志」以「多可喜亦多可悲」爲中心，記述與項脊軒相干的人和事。作者用簡約平凡的字句，寫來清淡自然，卻表達了眞摯的骨肉之情，以及作者高遠的心志。

「志」後面有一段文字，敘述娶妻後的一些細事，藉以傳送思念亡妻之意。

全篇都在抒情，卻止於記載日常瑣事而已，這份冷靜，或許便是司馬遷史筆的遺風。

【本文】

項脊軒，舊南閣子(1)也，室僅方丈(2)，可容一人居。百年老屋，塵泥滲漉(3)，雨澤下注，每移案顧視，無可置者；又北向，不能得日，日過午已昏。余稍爲修葺(4)，使不上漏(5)；前闢四窗，垣牆周庭(6)，以當南日(7)，日影反照，室始洞然(8)。又雜植蘭桂竹木於庭，舊時欄楯(9)，亦遂增(10)勝。借書滿架，偃仰嘯(11)歌，冥然兀坐(12)，萬籟有聲(13)。而庭階寂寂，小鳥時來啄食，人至不去。三五之夜(14)，明月半牆，桂影斑駁(15)，風移影動，珊珊(16)可愛。然予居於此，多可喜，亦多可悲。

先是[17]，庭中通南北爲一，迨諸父異爨[18]，內外多置小門牆，往往而是[19]。東犬西吠，客踰庖而宴[20]，雞棲於廳；庭中始爲籬，已爲牆，凡再變矣。家有老嫗[21]，嘗居於此。嫗，先大母[22]婢也，乳二世[23]，先妣[24]撫之甚厚。室西連於中閨[25]，先妣嘗一至，嫗每謂予曰：「某所而母立於茲[26]。」嫗又曰：「汝姊在吾懷，呱呱而泣，娘以指扣門扉曰『兒寒乎？欲食乎？』吾從板外相爲應答。」語未畢，余泣，嫗亦泣。余自束髮[27]讀書軒中，一日，大母過余曰：「吾兒，久不見若[28]影，何竟日[29]默默在此，大類女郎也？」比去，以手闔門[30]，自語曰：「吾家讀書久不效[31]，兒之成，則可待乎！」頃之，持一象笏[32]至，曰：「此吾祖太常公[33]宣德[34]間執此以朝，他日汝當用之。」瞻顧遺跡，如在昨日，令人長號不自禁。

軒東、故嘗爲廚，人往，從軒前過。余扃牖[35]而居，久之，能以足音辨人。軒凡四遭火，得不焚，殆有神護者。

項脊生[36]曰：蜀清守丹穴，利甲天下，其後秦皇帝築女懷清臺[37]。劉玄德[38]與曹操爭天下，諸葛孔明起隴中[39]。方二人之昧昧[40]于一隅也，世何足以知之？余區區處敗屋中，方揚眉瞬目(41)，謂有奇景，人知之者，其謂與埳井之蛙(42)何異？

余既爲此志，後五年，吾妻來歸(43)，時至軒中，從余問古事，或憑几學書。吾妻歸寧(44)，述諸小妹語曰：「聞姊家有閤子，且何謂閤子也？」其後六年，吾妻死，室壞不修。其後二年，余久臥病無聊，乃使人復葺南閤子，其制稍異于前。然自後余多在外，不常居。

庭有枇杷樹，吾妻死之年所手植也，今已亭亭如蓋(45)矣。

【注釋】

(1)閤子—猶今儲藏室，「閤」通「閣」。
(2)方丈—一丈見方。
(3)滲漉—水從孔隙下漏。
(4)修葺—修補。葺，音ㄑㄧˋ。
(5)使不上漏—使上不漏。
(6)垣牆周庭—牆將院子圍起來。垣，牆。周，圍繞，當動詞。
(7)以當南日—用來遮擋南面來的日光。當，通「擋」。
(8)洞然—明亮。

(9)欄楯—欄干。楯，音ㄕㄨㄣˇ，横的欄干。
(10)亦遂增勝—也增加了景色。
(11)偃仰嘯歌—俯仰吟咏。偃，仆，臥。嘯歌，吟唱。
(12)冥然兀坐—靜默地獨自端坐著。冥然，靜默的樣子。兀坐，獨自端坐。
(13)萬籟有聲—可以聽到所有孔竅發出的聲響。籟，本是孔竅，這裡指孔竅發出的聲響。萬籟，泛指一切聲響。
(14)三五之夜—陰曆每月十五日的夜間。
(15)桂影斑駁—桂樹的影子，錯雜地映照著。斑駁，錯雜。
(16)珊珊—明潔。
(17)先是—以前。是，指時間，即現在。
(18)迨諸父異爨—等到伯叔父分了家。迨，音ㄉㄞˋ，及，至。諸父，父親的兄弟，即伯叔。異爨，分開炊煮，指分家。爨，音ㄘㄨㄢˋ，炊。
(19)往往而是—處處都是。
(20)客踰庖而宴—後屋客人赴宴時，須越過前屋的廚房。踰，通「逾」，越過。
(21)老嫗—老嬷嬷。嫗，音ㄩˋ，老婦的通稱。
(22)先大母—已死的祖母。
(23)乳二世—爲兩代哺乳。乳，餵乳，動詞。二世，兩代。
(24)先妣—已死的母親。

(25)中闈—內室。
(26)某所而母立於茲—某個地方你母親曾立過。而，通「爾」，你。
(27)束髮—成童。古時幼兒十五歲成童，始結髮爲飾。
(28)若—你。
(29)竟日—終日，整日。
(30)闔門—關門。
(31)效—成功，指科名。
(32)象笏—象牙製成的笏。笏，音ㄏㄨˋ，古時人臣朝見君主時所執的手版，記載君命奏語，以備忘。
(33)太常公—指夏昶，字仲昭，歸有光祖母夏氏之祖父，崑山人，歷官至太常寺卿。
(34)宣德—明宣宗年號（西元一四二六年—一四三五年）
(35)扃牖—關閉窗戶。扃，音ㄐㄩㄥ，關閉。牖，音ㄧㄡˇ，窗戶。
(36)項脊生—歸有光自稱。
(37)蜀清……女懷清臺—蜀地有一寡婦名叫清，他的祖父獲得出產丹砂的山穴，獨占其利，致富了好幾代。清寡守家業，不爲強暴侵凌，秦皇帝視她爲貞婦，拿客禮待她，並爲她築「女懷清臺」作紀念。
(38)劉玄德—劉備。
(39)起隴中—發跡於田隴之間。孔明少年時曾隱居在隴中。一說「隆中」，山名，在湖北省襄陽縣西。
(40)昧昧—功名未顯。昧，不明。
(41)揚眉瞬目—得意的樣子。

(42)埳井之蛙—比喻見視短小。埳，音ㄎㄢˇ，同「坎」，凹陷處。

(43)吾妻來歸—有光妻魏氏，蘇州人。歸，女子嫁人。

(44)歸寧—女子回娘家省親。

(45)亭亭如蓋—高高立著，如傘一般。亭亭，直立的樣子，蓋，傘。

【結構】

請同學將本文的綱目整理出來：

【討論】

1.作者說住在「項脊軒」是「多可喜，亦多可悲。」到底「悲」些什麼？「喜」些什麼呢？

2.作者文中提到巴寡婦及諸葛孔明二人，是否在暗示著什麼？

3.作者如何表現自己對祖母、母親、妻子的思念？

六　晚遊六橋待月記

袁宏道

【作者】

袁宏道，字中郎，號石公。明湖廣公安（今湖北公安）人。

明穆宗隆慶二年（西元一五六八年）十二月生。

明神宗萬曆十年（西元一五八二年）十五歲，考上秀才，為諸生，在城南結詩文社，自任社長。

神宗萬曆二十年（西元一五九二年）二十五歲，中進士，不仕，與外祖父龔春所等終日以論學為樂。

神宗萬曆二十三年（西元一五九五年）二十八歲，任吳縣知縣，政績卓著。

神宗萬曆二十七年（西元一五九九年）三十二歲，升國學助教。

神宗萬曆二十八年（西元一六〇〇年）三十三歲，補禮部儀制司主事。累官吏部驗封主事、稽勳郎中等職。處事果斷嚴明，政績斐然。因生性灑脫，不願受限於仕宦生活，又迫於生計，曾三度出仕，三度辭官。

神宗萬曆三十八年（西元一六一〇年）卒，年四十三。

袁宏道自幼聰慧，善詩文，與兄宗道、弟中道並有才名，時稱「三袁」，為晚明文學新派「公安派」的代表人物，其中又以袁宏道最富盛名。他們反對前後七子「文必秦漢，詩必盛唐」的擬古派古文，主張「獨抒性靈，不拘格套」，強調「寧今寧俗，不肯拾人一字」的創作，並且肯定通俗文學的價值。

晚明散文家張岱稱譽袁宏道：「古人記山水，太上酈道元，其次柳子厚，近時則袁中郎。」袁宏道所作山水遊記極富特色，影響晚明小品文創作甚鉅。著有《袁中郎集》。

【題解】

明神宗萬曆二十五年（西元一五九七年），袁宏道幾經陳情才得以辭去吳縣（今江蘇蘇州）知縣，卸下官職後，首度遊賞杭州西湖。袁宏道此行共寫下十六篇西湖遊記，本文為第二篇。

自南而北依序橫貫於蘇堤上的六橋——映波、鎖瀾、望山、壓堤、東浦、跨虹——向來是西湖賞春的最佳景點。袁宏道認為西湖勝景在春、在朝煙、在夕嵐，而月夜尤最。月夜雖最為殊美，但作者除於篇末稍作提及外，卻再無贅述，令藉由其簡鍊精要的文筆領略到西湖之「春」、之「綠煙紅霧」、之「豔冶極矣」、之「極其濃媚」的讀者，不禁更期待一窺「尤不可言」的月景。

袁宏道以清新雋永的文筆盛讚西湖美景，展現其脫俗獨特的審美觀，並寄托其孤高不群的性情，使〈晚遊六橋待月記〉成為晚明小品的經典之作。

【本文】

西湖⑴最盛，為春為月⑵。一日之盛⑶，為朝煙⑷，為夕嵐⑸。今歲春雪甚盛⑹，梅花為寒所勒⑺，與杏、桃相次開發⑻，尤為奇觀。石簣⑼數⑽為余言：「傅金吾⑾園中梅，張功甫⑿玉照堂故物也，急往觀之。」余時為桃花所戀⒀，竟不忍去⒁湖上。由斷橋⒂至蘇堤⒃一帶，綠煙紅霧⒄，彌漫⒅二十餘里。歌吹為風⒆，粉汗為雨⒇，羅紈之盛(21)，多於堤畔之草，艷冶極矣(22)。

然杭人遊湖，止午、未、申三時(22)；其湖光染翠之工(24)，山嵐設色之妙，皆在朝日始出，夕舂(25)未下，始極其濃媚。月景尤不可言，花態柳情，山容水意，別是一種趣味。此樂留與山僧遊客(26)受用(27)，安可為俗士道哉(28)！

【注釋】

⑴西湖：位浙江杭州西郊。另有錢塘湖、明聖湖、金牛湖等別名。三面環山，景色殊妙，自古即為名勝。
⑵月：月夜。
⑶盛：最美的時候。
⑷朝煙：清晨煙霧迷濛時。
⑸夕嵐：黃昏時的霧氣。嵐，ㄌㄢˊ，山間霧氣。
⑹春雪甚盛：春雪下得很多。
⑺勒：ㄌㄟ ㄌㄟ，抑止。
⑻相次開發：相次，相繼、依序。言梅花花期因天氣而延遲，與杏花、桃花一同開花。
⑼石簣：陶望齡，字周望，號石簣。明浙江會稽（今浙江紹興）人，萬曆年間進士。袁宏道好友，二人同

遊西湖。

⑽數：好幾次。

⑾傅金吾：明人，生平不詳。為杭州士紳，有園於西湖小瀛洲。金吾，官名，漢時有執金吾，掌京城禁軍。明代由兵馬指揮使掌禁軍。傅氏或任此職，故稱之。

⑿張功甫：張鎡，字功甫，號約齋，南宋人。能詩善畫。曾闢地十畝，種植古梅，並築玉照堂以賞梅。

⒀為桃花所戀：「所戀為桃花」的倒裝句，迷戀桃花。

⒁去：離開。

⒂斷橋：位西湖孤山下，白堤東端。本名寶祐橋，又名段家橋。或說孤山之路至橋頭而斷，故唐後稱之為斷橋。

⒃蘇堤：宋哲宗元祐年間，蘇軾任杭州知州，取西湖淤泥所築。南起南屏山，北接越王廟，橫截西湖為裏、外二湖。又稱蘇公堤。

⒄綠煙紅霧：綠煙，垂柳；紅霧，桃花。由西湖當地民諺：「西湖景致六吊橋，間株楊柳間株桃」或可知蘇堤是一桃一柳夾雜栽種於兩旁。

⒅彌漫：遍布、佈滿。

⒆歌吹為風：歌聲、音樂隨風飄散。形容熱鬧。

⒇粉汗為雨：汗水沾著脂粉像雨般落下。形容人多。

(21)羅紈之盛：羅紈，細軟輕柔的絲織品，指衣著華美。比喻遊人眾多。

(22)冶豔極矣：艷麗非常。遊人與花木皆色彩鮮豔動人。

(22)止午、未、申三時：止，只。只由上午十一時至下午五時。古人以十二地支（子、丑、寅、卯、辰、巳、午、未、申、酉、戌、亥）計時，一地支代表一時辰，一時辰為現今兩小時。午時指上午十一時至下午一時，依此類推。

(24)工：精巧。

(25)夕舂：本指夕陽西下時，此指夕陽。舂，以杵臼搗去穀物皮殼。

(26)遊客：此指真正懂得遊賞美景之人。或作者自指。

(27)受用：領會享用。

(28)安可為俗士道哉：安，豈。俗士，世俗之人。道，說。怎能說給普通人知曉呢。

【問題與討論】

一、袁宏道〈晚遊六橋待月記〉為什麼題「待月」，卻極言春色，略寫月景？

二、由〈晚遊六橋待月記〉中，能否看出袁宏道獨特的審美觀及其不群的品格？

七 廉恥

顧炎武

【作者】

顧炎武，字寧人，本名絳，明亡，改名炎武，學者稱爲「亭林」先生，江蘇崑山人。明神宗萬曆四十一年（西元一六一三年）生。

熹宗天啓六年（西元一六二六年），十四歲，進入縣學，成了秀才。

清世祖順治二年（西元一六四五年），三十三歲，清兵南下，攻陷南京，他在吳江起兵反抗，戰敗逃走，他的母親王氏絕食殉國。

順治三年（西元一六四六年），三十四歲，福建的唐王要任命他作職方司主事，他沒有南去就職，在北方號召明朝的遺民，和海上的鄭成功保持聯繫。

順治十三年（西元一六五六年），四十四歲，開始漫遊華北，往來魯、燕、晉、陝、豫等省，交結反清的志士，勘察天下的地勢和瞭解民情習俗，以俟機舉事。

清聖祖康熙二十一年（西元一六八二年），七十歲，旅行中死於山西曲沃縣。

顧炎武生性耿介絕俗，才高學博，留心經世之術，不作應酬文字，治學謹嚴篤實，爲清代樸學之導師。畢生精力全投注在推翻異族，發揚民族精神上面。著有日知錄、亭林詩文集、天下郡國利病書、音學五書等，以日知錄最著名。

【題解】

本課選自日知錄，主旨在說明廉恥與國運興衰之關係。顧炎武遭亡國之痛，哀風俗之衰，故在文中借歐陽修以及顏之推的評論，來責罵明末導致天下亂、國家亡的無恥之士。

【本文】

五代史(1)馮道傳(2)論(3)曰：「『禮義廉恥，國之四維；四維不張，國乃滅亡(4)。』善乎！管生之能言(5)也！禮義，治人之大法；廉恥，立人之大節(6)。蓋不廉則無所不取，不恥則無所不爲，人而如此，則禍敗亂亡，亦無所不至。況爲大臣而無所不取，無所不爲，則天下其(7)有不亂，國家其有不亡者乎？」

然而四者之中，恥尤爲要，故夫子(8)之論士曰：「行己有恥(9)。」孟子曰：「人不可以無恥。無恥之恥，無恥矣(10)。」又曰：「恥之於人大矣！爲機變之巧者，無所用恥焉(11)。」所以然者，人之不廉而至於悖(12)禮犯義，其原皆生於無恥也。故士大夫之無恥，是謂國恥。

吾觀三代(13)以下，世衰道微，棄禮義，捐(14)廉恥，非一朝一夕之故。然而松柏後凋於歲寒⒂，雞鳴不已於風雨⒃，彼衆昏之日，固⒄未嘗無獨醒之人也。

頃讀顏氏家訓⒅，有云：「齊朝⒆一士夫⒇，嘗謂吾曰：『我有一兒，年已十七，頗曉書疏(21)，教其鮮卑語(22)及彈琵琶，稍欲通解(23)，以此伏事(24)公卿，無不寵愛。』吾時俯(25)而不答。異哉，此人之教子也！若由此業，自致(26)卿相，亦不願汝曹(27)爲之！」嗟乎！之推不得已而仕於亂世(28)，猶爲此言，尚有小宛詩人之意(29)，彼闒然媚於世(30)者，能無愧哉？

【注釋】

(1)五代史—五代史有二部：一爲宋太宗時薛居正等奉敕所撰的「五代史」，一爲宋仁宗時歐陽修所撰的「五代史記」（一名「新五代史」）。本課是指新五代史。

(2)馮道傳—馮道，字可道，五代時景城（今河北省交河縣）人，先後在後唐、後晉、後漢、後周任要職，自號「長樂老」，五代史有他的傳。他做過六個皇帝的宰相，事奉過四姓十君，把喪君亡國的事看得很淡。

(3)論—修史者評論之辭，通常放在本文最後。

(4)禮義廉恥四句—這四句是管子書中的話。是說：禮、義、廉、恥是繫住國家的四個綱維，這四個綱維如果不施行，國家就要滅亡了。禮是態度合理，義就是行事適宜，廉是明辨公正，恥是有羞惡之心。維，繩子。乃，就要。

(5)善乎……能言也—太好了！管仲說的眞高明。管生，即管仲。能言，善於立言說理。

(6)禮義……大節—兩「大」字皆當「主要」講。立人，使人站得住。（指不受損害，參考下文。）

(7)其—通「豈」。

(8)夫子—指孔夫子。

(9)行己有恥—即「己行有恥」，是說一舉一動都必須有羞恥的觀念。論語子路篇：「子貢問士。子曰：『行己有恥，使於四方，不辱君命，可謂士矣。』」

(10)人不可以無恥三句—孟子盡心下的話：「無恥之恥」是說把「無恥」當作羞恥。下一「恥」字爲動詞，以……爲恥的意思。「之」爲語氣詞。

(11)恥之於人大矣三句—也見孟子盡心下。無所用恥焉，不知道要有「恥」的觀念。

(12)悖—違背。

(13)三代—夏、商、周三個朝代。

(14)捐—棄。

(15)松柏後凋於歲寒—在寒冷的季節，松柏總是最後才凋零的，比喻時代雖亂，君子仍卓然自立。

(16)雞鳴不已於風雨—雖然風雨交加，公雞仍昂然鳴叫。比喻君子雖處亂世，仍不改其節操。

(17)固—必定。

(18)顏氏家訓—南北朝顏之推所撰，全書共二十篇，大部分是敘述立身治家的方法，以辨正世俗之誤謬。底下引的是教子篇的文章。

⒆齊朝—指南北朝之北齊。

⒇士夫—即士大夫。

(21)書疏—指書札、奏章之類的應用文。疏，音ㄕㄨˋ。

(22)鮮卑語—鮮卑，五胡之一。南北朝的拓跋魏、宇文周都是鮮卑族建立的王朝，北齊是鮮卑化的漢人。鮮卑族統治華北許久，所以漢族中有些無恥的人，爲了和外族的貴人交接聯絡，以便做官，也學了鮮卑語。

(23)稍欲通解—漸漸地就要通達瞭解了。欲，將。

(24)伏事公卿—伏，通「服」，伺候的意思。公卿，指達官貴人。

(25)俯—低下頭。

(26)致—獲得，得到。

(27)汝曹—你們，指顏之推的子孫。

(28)之推……亂世—亂世，指北齊。顏氏家訓終制篇說：「計吾兄弟，不當仕進，但以播越他鄉，無復資廕，兼以北方政教嚴切，全無隱退者故也。」

(29)小宛詩人之意—詩經小雅小宛六章，都是詩人感於世亂人非，爲警誡自己不可同流合污而寫的。

(30)闇然媚於世—闇然，閉藏掩蓋的樣子。媚，討人家的歡心。

【結構】

請同學整理出本課的綱目，並分析其層次與連貫：

八　祭妹文

袁　枚

【作者】

袁枚，字子才，號簡齋，浙江錢塘（今杭縣）人。生於康熙五十五年（西元一七一六年），卒於嘉慶二年（西元一七九七年），年八十二。乾隆四年（西元一七三九年），二十四歲，中進士，官翰林院庶吉士，曾任溧水、江浦、沭陽、江寧等縣知縣，幹練愛民。由於個性跌蕩不羈，三十八歲即辭官，築隨園於江寧小倉山下，以吟詠著述爲樂，時稱「隨園先生」。

袁枚才華橫逸，作詩注重性靈，清新眞摯，自成一家；詩評隨筆，風行於天下。著有小倉山房詩文集、隨園隨筆、隨園詩話等。

【題解】

本文爲乾隆三十二年（西元一七六七年），袁枚五十二歲時，祭悼其妹素文時所作。其妹素文小袁枚四歲，遇人不淑，於乾隆二十四年（西元一七五九年）鬱鬱而終，年四十。本文以追敘的筆法，敘述其妹自幼至長、自嫁而歸、自歸而死，兩人相處的種種情景，情意深切，悽楚感人。

祭文以表達哀悼爲主，有韻文，有散文。韻文便於誦讀，散文則可暢所欲言，表達眞切的情感。此篇即爲散體祭文之上品。

【本文】

乾隆丁亥(1)冬，葬三妹素文(2)於上元之羊山(3)，而奠(4)以文曰：

嗚呼！汝生於浙而葬於斯，離吾鄉七百里矣，當時雖觭夢(5)幻想，寧知此爲歸骨所(6)耶！

汝以一念之貞(7)，遇人仳離(8)，致孤危託落(9)，雖命之所存，天實爲之，然而累汝至此者，未嘗非予之過也。予幼從先生受經(10)，汝差肩(11)而坐，愛聽古人節義事，一旦長成，遽躬蹈(12)之。嗚呼！使汝不識詩書，或未必艱貞若是。

余捉蟋蟀，汝奮臂(13)出其間；歲寒蟲僵，同臨其穴(14)。今予殮(15)汝葬汝，而當日之情形，憬然赴目(16)。予九歲，憩書齋，汝梳雙髻(17)，披單縑(18)來，溫緇衣(19)一章，適先生奓戶入(20)，聞兩童子音琅琅(21)然，不覺莞爾(22)，連呼則則(23)。此七月望日事也，汝在九原(24)，當分明記之。予弱冠粵行(25)，汝掎裳(26)悲慟。逾三年，予披宮錦(27)還家，汝從東廂扶案(28)出，一家瞠視(29)而笑，不記語從何起，大概說長安登科(30)，函使報信遲早云爾(31)。凡此瑣瑣，雖爲陳跡，然我一日未死，則一日不能忘。舊事塡膺(32)，思之淒梗(33)，如影歷歷(34)，逼取便逝。悔當時不將嫛婗(35)情狀，羅縷紀存；然而汝已不在人間，則雖年光倒流，兒時可再，而亦無爲證印者矣。

汝之義絕高氏而歸也，堂上阿嬭(37)，仗汝扶持，家中文墨，眣(38)汝辦治。嘗謂女流中最少明經義，諳雅故(39)者，汝嫂(40)非不婉嫕(41)，而於此微缺然，故自汝歸後，雖爲汝悲，實爲予喜。予又長汝四歲，或人間長者先亡，可將身後託汝，而不謂汝之先予以去也。

前年予病，汝終宵刺探(42)，減一分則喜，增一分則憂。後雖小差(43)，猶尚殗殜(44)，無所娛遣(45)，汝來床前，爲說稗官野史(46)可喜可愕之事，聊資一懽(47)。嗚呼！今而後吾將再病，教從何處呼汝耶！

汝之疾也，予信醫言無害，遠弔揚州(48)，汝又慮戚吾心(49)，阻人走報，及至緜惙已極(50)，阿嬭問望兒歸否，強應曰諾已(51)。予先一日夢汝來訣(52)，心知不祥，飛舟渡江，果予以未時(53)還家，而汝以辰(54)時氣絕，四支猶溫，一目未瞑(55)，蓋猶忍死待予也。嗚呼痛哉！早知訣汝，則予豈肯遠遊；即遊，亦尚有幾許心中言，要汝知聞，共汝籌畫也。而今已矣！除吾死外，當無見期。吾又不知何日死，可以見汝；而死後之有知無知，與得見不得見，又卒難明也。然則抱此無涯之憾，天乎？人乎？而竟已乎！

汝之詩，吾已付梓(56)；汝之女，吾已代嫁；汝之生平，吾已作傳；惟汝之窀穸(57)，尚未謀耳。先塋(58)在杭，江廣河深，勢難歸葬，故請母命而寧(59)汝於斯，便祭掃也。其旁葬汝女阿印(60)，其下兩冢(61)，一爲阿爺侍者朱氏(62)，一爲阿兄侍者陶氏(63)；羊山曠渺(64)，南望原隰(65)，西望棲霞(66)，風雨晨昏，羈魂(67)有伴，當不孤寂。所憐者，吾自戊寅年讀汝哭姪詩(68)後，至今無男，兩女牙牙(69)，生汝死後，纔周晬(70)耳。予雖親在，未敢言老(71)，而齒危髮禿，暗裡自知，知在人間，尚復幾日！阿品(72)遠宦河南，亦無子女，九族(73)無可繼者。汝死我葬，吾死誰埋，汝倘有靈，可能告我？

嗚呼！身前既不可想，身後又不可知，哭汝既不聞汝言，奠汝又不見汝食。紙灰飛揚，朔風野大，阿兄歸矣，猶屢屢回頭望汝也。嗚呼哀哉！嗚呼哀哉！

【注釋】

(1)乾隆丁亥—乾隆，清高宗年號。丁亥是乾隆三十二年（西元一七六七年），其時袁枚五十二歲。

(2)素文—名機，號青琳居士，是清代著名的才女，貌美而端莊，工於詩詞。未周晬即與如皋高八的兒子訂婚。後來家人知道高氏的兒子性行惡劣，想要毀約，但她重視名節，不肯改嫁他人，終於嫁到高家。其夫短小傴僂，暴躁蠻橫，喜歡賭博狎娼，妝奩揮霍淨盡以後，要將她賣身償債。經袁枚父親到官府控訴，方與高家斷絕關係，回到娘家。後來聽說高氏子死了，哭泣盡哀。過了一年（乾隆二十四年），她也死掉，年四十。

(3)上元之羊山—上元，江蘇省縣名，今併入江寧縣。羊山是江寧縣棲霞山東邊的一個丘陵。

(4)奠—祭。

(5)觭夢—奇異的夢。觭，音ㄐㄧ。

(6)歸骨所—安葬屍骨的地方。

(7)一念之貞—指素文明知高氏子是個無賴，而重視婚約，不肯變更。貞，堅定。

(8)遇人仳離—仳離即別離，指所嫁非人，終至離異。

(9)孤危託落—孤獨寂寞。託落即拓落，孤獨不遇的意思。

(10)受經—學習經書。

(11)差肩—並肩。差，音ㄘ，比、並的意思。

(12)遽躬蹈之—急著親自去實踐它。

(13)奮臂—舉起手臂。

⒁同臨其穴──蟲死後，一同把它埋在土穴。
⒂殮──音ㄌㄧㄢˋ，將屍體移入棺材。
⒃憬然赴目──清楚的浮現在目前。
⒄髻──音ㄐㄧˋ，頭髮挽成的圓結。
⒅單縑──單薄的綢衣。縑，音ㄐㄧㄢ，絲縷細密的絹。
⒆緇衣──詩經鄭風篇名。
⒇適……入──適，正好。奓戶，開門。奓，音ㄓㄚ。
(21)琅琅──讀書聲。琅，音ㄌㄤˊ。
(22)莞爾──微笑的樣子。莞，音ㄨㄢˇ。
(23)則則──讚嘆聲。
(24)九原──春秋時晉國卿大夫墓地，後人遂通稱墓地為九原。
(25)弱冠粵行──袁枚的叔父鴻在廣西巡府金鉷幕府作事，乾隆元年（西元一七三六年），他到廣西探視叔父，當時年二十一。弱冠，二十歲。
(26)掎裳──拉著衣裳。掎，音ㄐㄧˇ，從後牽引。
(27)披宮錦──唐時進士及第後披宮錦袍，後遂以登進士第謂之「披宮錦」。袁枚於乾隆四年（西元一七三九年）中進士，時年二十四歲。
(28)扶案──拿著碗盤。案：几屬，為進食之具，有短足。無足曰槃。
(29)瞠視──張目直視。

(30)長安登科—西漢及隋、唐都建都長安，於是長安後來就成爲京師的代稱。這裡指清代的都城，即今之北平。登科，古時分科取士，故登進者稱「登科」。

(31)云爾—語尾助詞。

(32)塡膺—充塞胸中。膺，胸。

(33)淒梗—淒楚之情梗塞胸中。

(34)歷歷—分明的樣子。

(35)嫛婗—音ㄧ ㄋㄧˊ，本指小兒言語不清的樣子，引申作幼時。

(36)羅縷—詳細。

(37)阿嬭—嬭，音ㄋㄞˇ，楚人稱母親爲「嬭」。袁枚母親姓章，杭州人。

(38)眣—音ㄕㄨㄣˋ，本是以目示意，此處作「使令」講。

(39)諳雅故—熟悉古今的典訓。

(40)汝嫂—指袁枚妻王氏。

(41)婉嫕—溫柔和順的樣子。嫕，音ㄧˋ。

(42)刺探—探聽。

(43)小差—稍爲好轉。差，作「瘥」解，音ㄔㄞˋ，病癒。

(44)殗殜—音ㄧˋ ㄧㄝˋ，病半起半臥將好未好的樣子。

(45)娛遣—娛樂消遣。

(46)稗官野史—稗官，小說。野史，非官修之史。

(47)懽—音ㄏㄨㄢ，同「歡」。
(48)遠弔揚州—揚州，今江蘇江都縣。當時袁枚赴揚州四堂妹袁棠家弔喪。
(49)慮戚吾心—擔心我會難過。戚，同「慽」，悲傷。
(50)緜惙已極—病危急到了極點。惙，音ㄔㄨㄛˋ，疲乏。
(51)諾已—好吧。
(52)訣—別。
(53)未時—下午一時至三時。
(54)辰時—上午七時至九時。
(55)瞑—閉目。
(56)付梓—付印。梓，雕刻文字在板上。素文遺稿，今附刻小倉山房全集中。
(57)窀穸—音ㄓㄨㄣ　ㄒㄧˋ，墓穴。
(58)先塋—祖先的墳墓。塋，音ㄧㄥˊ，墳墓。
(59)寧—安息。
(60)阿印—素文的女兒，天生啞巴，指形摹意皆出於母教。
(61)冢—音ㄓㄨㄥˇ，墳墓。
(62)阿爺侍者朱氏—阿爺，父親。侍者，侍妾。
(63)陶氏—袁枚侍妾。
(64)曠渺—空曠遼闊。

(65)原隰—平坦之地。隰，音ㄒㄧˊ。
(66)棲霞—山名，在江寧縣東北。
(67)羈魂—葬身異地，魂魄歸不得故鄉，叫做羈魂。
(68)戊寅……哭姪詩—乾隆二十三年（西元一七五八年）六月，袁枚妾陸氏生男，夭折，素文有哭姪詩。
(69)牙牙—小兒學語的樣子。
(70)周晬—晬，音ㄗㄨㄟˋ，小孩誕生一歲叫「周晬」。袁枚於乾隆二十九年二月生一女，十一月生一女，到這時候，皆不僅周歲，此極言其小。
(71)親在未敢言老—禮記中云：「父母在，不稱老。」
(72)阿品—是袁枚堂弟袁樹的小名。樹字豆村，號薌亭，乾隆進士，當時做河南正陽縣知縣，年三十七。
(73)九族—指高、曾、祖、父、己、子、孫、曾、玄九世。

【結構】

袁枚在本文中以「身前既不可想，身後又不可知」爲哀傷所在，請將記述生前與身後的事項列出來。

一、未嫁前：

二、仳離回家後：

三、重病至死：

四、死後：

【討論】

△本文所以感人，主要在於往日之情不可復得，請就文中述及身後事之處，說明袁枚的心情。（配合【結構】）

九　裨海紀遊選

郁永河

【作者】

永河，字滄浪；浙江仁和縣人。生卒年月不詳。

關於郁永河，歷代研讀《裨海紀遊》者言「惜作記者姓氏不傳，不得與此書共垂不朽，亦歉也」、「無可考」、「待考」、「不知有否傳本」、「不可知也」，現今除由《裨海紀遊》部分文字以窺其心志為人外，無其他紀錄以見郁永河之生平。

【題解】

郁永河於康熙三十六年（西元一六九七年）來臺採硫，他將來台的所見所聞寫成《裨海紀遊》一書。郁永河因這本書而被譽為「臺灣遊記文學的開創者」、「台灣遊記文學之父」。《裨海紀遊》一書亦被台灣研究先驅—黃得時先生推崇為「台灣文學史上隨筆文學裡最出色的作品」。

《裨海紀遊》內容，為郁永河紀錄來臺採硫磺的艱辛歷程及一路上的見聞，對全臺山川形勢、風土物產、番俗民情等皆有記載，並賦有竹枝詞以記。本書記載時間距清朝將台灣納入版圖僅晚十餘年，為紀錄臺灣地理、歷史、文化、風土、民俗、物產、族群等之重要文獻，凡研究台灣者無不參考之。

本課選錄四小段《裨海紀遊》文字，期使讀者能由其中見識郁永河的冒險精神、胸襟器識，提煉硫磺的部分經過，以及三百年前台灣蠻荒險惡的情況。

【本文】

（一）

余性耽⑴遠遊，不避阻險，常謂臺灣已入版圖⑵，乃不得一覽其概，以為未慊⑶。會丙子⑷冬，榕城藥庫災⑸，毀硝磺火藥五十餘萬無纖介⑹遺。有旨責償⑺典守者⑻，而臺灣之雞籠⑼、淡水，實產石硫磺，將往採之。余欣然笑曰：『吾事濟⑽矣』。丁丑春王⑾，遂戒裝⑿行，……。

（二）

飲以薄酒，食以糖丸，又各給布丈餘，皆忻然⒀去。復給布眾番易土，凡布七尺，易土一筐，衡之可得二百七八十觔⒁。明日，眾番男婦相繼以莽葛⒂載土至，土黃黑不一，色質沉重，有光芒，以指撚之，颯颯有聲者佳，反是則劣。煉法：槌碎如粉，日曝極乾，鑊⒃中先入油十余觔，徐入乾土，以大竹為十字架，兩人各持一端攪之；土中硫得油自出，油土相融，又頻頻加土加油，至於滿鑊；約入土八九百觔，油則視土之優劣為多寡。工人時時以鐵鍬取汁，瀝突旁察之，過則添土，不及則增油。油過不及，皆能損硫；土既優，用油適當，一鑊可得淨硫四五百觔，否或一二百觔乃至數十觔。關鍵處雖在油，而工人視火候，似亦有微權(17)也。余問番人硫土所產，指茅廬後山麓間。

（三）

柳子厚(18)云：『播州非人所居(19)！』令子厚知有此境，視播州天上矣。余至之夜，有漁人結寮港南者，與余居遙隔一水，纍布藉枕而臥；夜半，矢從外入，穿枕上布二十八劄，幸不傷腦，猶在夢鄉，而一矢又入，遂貫其臂，同侶逐賊不獲，視其矢，則土番射鹿物也。又有社人被殺於途，皆數日間事。余草廬在無人之境，時見茂草中有番人出入，莫察所從來；深夜勁矢，寧無戒心？若此地者，蓋在在(20)危機，刻刻死亡矣！余身非金石(21)，力不勝鼷鼠(22)；況以斑白之年，高堂有母，寧遂忘臨履之戒(22)，以久處危亡之地乎？良以剛毅之性，有進無退，謀人謀己，務期克濟(24)；況生平歷險遭艱，奚(25)止一事？今老矣！肯以一念之恧(26)，事半中輟，嗒然(27)遂失其故我耶？且病者去矣，而不病者又以畏病畏危去，將誰與竣(28)所事？

（四）

然此輩⑵⑼欺番人愚，朘削無厭⑶⑽，視所有不異己物；平時事無巨細，悉呼番人男婦孩稚，供役其室無虛日。且皆納番婦為妻妾，有求必與，有過必撻⑶⑴，而番人不甚怨之。……此輩正利番人之愚，又甚欲番人之貧：愚則不識不知，攫奪惟意；貧則易於迫挾，力不敢抗。匪特不教之，且時時誘陷之。即有以冤訴者，而番語侏離⑶⑵，不能達情，聽訟者仍問之通事，通事顛倒是非以對，番人反受呵譴；通事又告之曰：『縣官以爾違通事夥長⑶⑶言，故怒責爾』。於是番人益畏社棍，事之不啻⑶⑷帝天。其情至於無告，而上之人無由知。是舉世所當哀矜⑶⑸者，莫番人若矣。乃以⑶⑹其異類且歧視之；見其無衣，曰：『是不知寒。』見其雨行露宿，曰：『彼不致疾。』見其負重馳遠，曰：『若⑶⑺本耐勞。』噫！若亦人也！其肢體皮骨，何莫非人？而云若是乎？馬不宿馳⑶⑻，牛無偏駕⑶⑼，否且致疾；牛馬且然，而況人乎？抑知彼苟多帛⑷⑽，亦重綈⑷⑴矣，寒胡為哉？彼苟無事，亦安居矣，暴露胡為哉？彼苟免力役，亦暇且逸矣，奔走負戴於社棍之室胡為哉？夫樂飽暖而苦飢寒，厭勞役而安逸豫⑷⑵，人之性也；異其人，何必異其性？仁人君子，知不吐余言。

【注釋】

(1)躭：喜好，沉迷。
(2)台灣已入版圖：康熙二十二年（西元一六八三年），清廷收復臺灣後，設立「臺灣府」，將臺灣編入為福建省的第九個府。
(3)慊：ㄑㄧㄝˋ，滿意。
(4)丙子：康熙三十五年（西元一六九六年）。
(5)榕城藥庫災：福州城火藥庫發生爆炸，五十餘萬斤硫磺火藥全部焚毀。
(6)纖介：細小些微。
(7)責償：要求賠償。
(8)典守者：負責看管火藥庫的官員。
(9)雞籠：即今基隆。
(10)濟：成功，實現。
(11)丁丑春王：康熙三十六年（西元一六九七年）正月。
(12)戒裝：整理行裝。
(13)忻然：忻，欣。高興的樣子。
(14)觔：ㄐㄧㄣ，通「斤」。
(15)莽葛：原住民使用的獨木舟。

(16) 鑊：大鍋。
(17) 微權：稍有影響。
(18) 柳子厚：唐人柳宗元，字子厚。
(19) 播州非人所居：播州，今貴州省。元和十年（西元八一五年）三月，柳宗元改任柳州刺史，劉禹錫改任播州刺史，因劉禹錫上有老母而播州偏遠蠻荒，柳宗元不忍見劉禹錫困厄，所以自願「以柳易播」，後朝廷將劉禹錫改派連州（今廣東省）。
(20) 在在：處處。
(21) 金石：比喻堅固不壞。
(22) 鼷鼠：ㄒㄧ，小老鼠。
(22) 臨履之戒：詩經・小雅・小旻：「戰戰兢兢，如臨深淵，如履薄冰。」比喻處事當謹慎小心。
(24) 務期克濟：一定期許能夠完成。
(25) 奚：何。
(26) 恧：ㄋㄩˋ，畏縮羞慚。
(27) 嗒然：嗒，ㄊㄚˋ，忘懷。此指胡思亂想。
(28) 竣：完成。
(29) 此輩：郁永河記錄的「社棍」。這些社棍都是一些在大陸內地作姦犯科，然後逃到臺灣來，藏身於原住民部落，想辦法當上通事等職務為非作歹。
(30) 朘削無厭：朘，ㄐㄩㄢ，剝削。厭，饜，滿足。

(31) 撻：ㄊㄚˋ，以鞭、杖打人。
(32) 侏離：殊離，極為不同。
(33) 通事夥長：通事是一種職位很低的官職，類翻譯官，但在原住民部落裏影響力甚大，由通曉原住民語言的漢人充任，是漢人、官方及原住民之間溝通的橋樑。
(34) 不啻：啻，ㄔˋ，僅。不僅。
(35) 哀矜：矜，ㄐㄧㄣ，憐憫同情。
(36) 乃以：竟然因為。
(37) 若：他們。
(38) 宿馳：整夜奔跑。
(39) 偏駕：一直拉車。
(40) 帛：絲織品的總稱，布料。
(41) 綈：ㄊㄧˊ，粗厚有光澤的絲織品。此指穿著。
(42) 逸豫：逸樂，安樂。

【問題與討論】

一、請由選錄的《裨海紀遊》文字中，討論作者郁永河的為人。
二、郁永河對於台灣原住民與漢人的關係有何看法？

【附錄】

《裨海紀遊》竹枝詞選

一、鐵板沙連到七鯤，鯤身激浪海天昏；
任教巨舶難輕犯，天險生成鹿耳門。

二、蔗田萬頃碧萋萋，一望龍蔥路欲迷；
綑載都來糖廍裡，只留蔗葉餉群犀。

三、獨榦凌霄不作枝，垂垂青子任紛披；
摘來還共蔞根嚼，贏得唇間盡染脂。

四、肩披鬢髮耳垂璫，粉面紅唇似女郎；
馬祖宮前鑼鼓鬧，侏離唱出下南腔。

五、臺灣西向俯汪洋，東望層巒千里長；
一片平沙皆沃土，誰為長慮教耕桑？

一〇　論語㈢——禮、正名

【題解】

本課十一章是孔子有關「禮治」以及「正名」的言論，可分爲三部分：

第一部分說明禮的意義及其重要性。

第二部分強調德化、禮治才是治民的根本方法。

第三部分說明禮治的第一個具體原則——「正名」——各盡本分，不遺不越。

禮是人類行爲的規範，消極方面說，可以防止悖亂，積極方面，則可以激發正當的處世態度。孔子處在春秋，世衰道微，綱紀廢弛，所以特別強調禮治。「正名」即是禮治的具體表現。以禮來範定君臣上下的尊卑貴賤，使人在禮的約束下，各盡其本分，以建立社會的秩序。

【本文】

㈠

1.子曰：「君子義以爲質⑴，禮以行之⑵，孫⑶以出之，信⑷以成⑸之，君子哉！」

（衛靈公篇）

2.子曰：「興於詩(6)，立於禮(7)，成於樂(8)。」（泰伯篇）

3.子曰：「恭而無禮則勞(9)，愼而無禮則葸(10)，勇而無禮則亂(11)，直而無禮則絞(12)。君子篤(13)於親，則民興於仁，故舊不遺(14)，則民不偷(15)。」（泰伯篇）

4.子夏問曰：「『巧笑倩(16)兮，美目盼(17)兮，素以爲絢(18)兮。』何謂也？」子曰：「繪事後素(19)。」曰：「禮後(20)乎？」子曰：「起(21)予者商(22)也，始可與言詩已矣。」（八佾篇）

5.林放問禮之本(23)，子曰：「大哉問(24)；禮，與其(25)奢也，寧儉；喪，與其易(26)也，寧戚(27)。」（八佾篇）

6.子曰：「管仲(28)之器(29)小哉！」或曰：「管仲儉乎？」曰：「管氏有三歸(30)，官事不攝(31)，焉得儉？」「然則管仲知禮乎？」曰：「邦君樹塞門(32)，管氏亦樹塞門。邦君爲兩君之好(33)，有反坫(34)，管氏亦有反坫。管氏而知禮，孰不知禮？」

（八佾篇）

㈡

7.子曰：「能以禮讓爲國⑶乎，何有⑶？不能以禮讓爲國，如禮何？」（里仁篇）

8.子曰：「君子博學於文⑶，約之以禮⑶，亦可以弗畔⑶矣夫！」（雍也篇）

9.子曰：「道之以政⑽，齊之以刑⑴，民免⑵而無恥；道之以德⑶，齊之以禮⑷，有恥且格⑸。」（爲政篇）

㈢

10.齊景公⑹問政於孔子，孔子對曰：「君君，臣臣，父父，子子⑺。」公曰：「善哉！信⑻如君不君，臣不臣，父不父，子不子，雖有粟⑻，吾得而食諸⑼？」（顏淵篇）

11.子路曰：「衛君⑽待子而爲政，子將奚先⑴？」子曰：「必也正名⑵乎！」子路曰：「有是哉！子之迂⑶也，奚其正？」子曰：「野⑷哉！由也。君子於其所不知，蓋闕如(55)也。名不正，則言不順；言不順，則事不成；事不成，則禮樂不興；禮樂不興，則刑罰不中(56)；刑罰不中，則民無所措(57)手足。故君子名之必可言也，言之必可行也；君子於其言，無所苟(58)而已矣！」（子路篇）

【注釋】

(1)義以爲質—即「以義爲質」，以義爲本質在內心建立起「義」的觀念。
(2)禮以行之—即「以禮行之」，在「禮」的約束下行事。
(3)孫以出之—用謙遜的態度來表現。孫，通「遜」。
(4)信—誠實不欺。
(5)成—完成。
(6)興於詩—藉著「詩」來激發心志。興，激發、鼓舞。
(7)立於禮—藉著「禮」來確立行爲的典範，亦即依循「禮」來修養、行事。
(8)成於樂—在「樂」的陶養中完成德養、行事。
(9)勞—勞累。
(10)葸—音ㄒㄧˇ，畏怯。
(11)亂—悖亂。

⑿絞——急切，有尖刻刺人的意思。
⒀篤——厚。
⒁故舊不遺——不遺棄故交舊友。
⒂偷——澆薄。
⒃倩——形容女子微笑時，面頰美好的樣子。
⒄盼——形容眼睛轉動的時候，黑白分明的樣子。
⒅素以爲絢——在素色底上繪上色彩。絢，音ㄒㄩㄢˋ，有文采。
⒆繪事後素——繪畫時先用素色打底，再塗上色彩。
⒇禮後——禮放在後面，謂必須先具備內質，而後才能行「禮」。
(21)起——啓發。
(22)商——子夏名商。
(23)林放問禮之本——林放，魯國人。本，本質。林放因發現當時一般人對於禮儀，專事繁文縟節，而懷疑禮的本質不在於形式，所以提出這一問題問孔子。
(24)大哉問——是說「你問的問題，意義眞是重大啊！」
(25)與其……寧……，相當於語體的「如果……不如……」
(26)易——治，有「把事情辦妥」的意思，這裡指辦喪事時只求節文周到。
(27)戚——哀傷悲痛。

(28)管仲—春秋時齊國人，名夷吾，做齊桓公的宰相，使桓公稱霸諸侯，成爲春秋五霸之一。
(29)器—器量、器度。
(30)三歸—有三個家可歸。
(31)官事不攝—每個地方都設有管事的官，攝，兼。
(32)樹塞門—樹立屛風。在門內設屛風，用來遮蔽門外。塞，遮蔽。當時只有國君有這樣的設施，管仲也有，所以孔子舉這件事爲證，說明管仲並不知禮。
(33)爲兩君之好—爲了兩國國君的友好而會合。
(34)反坫—坫，音ㄉㄧㄢˋ，用土築成的高臺，用來放置器物。國君相互饗宴時，主君獻酒，賓客飲酒完畢，將空的酒尊放回這高臺上，所以稱爲反坫。
(35)爲國—治國。
(36)何有—何難之有？
(37)博學於文—廣泛地去研讀詩書六藝的典籍。
(38)約之以禮—用禮來約制自己的言行。
(39)畔—通「叛」，違背。
(40)道之以政—用政令來引導人民。道，通「導」。之，指人民。
(41)齊之以刑—用刑罰來責求人民。
(42)免—免於受罪罰。

(43)道之以德—用道德去誘導百姓。
(44)齊之以禮—用禮教來約束人民。
(45)格—正。
(46)齊景公—名杵臼，景是謚號，爲莊公異母弟，是崔杼弑莊公後所立。
(47)君君……子子—君君，做國君的盡到國君的本分。上一「君」字是「名」，指有「君」名的人，下一「君」字是實，指「君」的本分。其他三句的語法相同。
(48)信—誠然，果眞。
(49)諸—「之乎」二字的合音。
(50)衛君—指衛靈公世子蒯聵的兒子出公輒。
(51)奚先—以何事爲先。奚，何。
(52)正名—端正名分。
(53)迂—迂遠而不切實際。
(54)野—粗鄙。
(55)闕如—擱在一旁，不加以議論。
(56)中—適當。
(57)措—安置。
(58)苟—苟且、隨便。

【討論】

1. 請就本篇所述，說明禮的本質。
2. 孔子曾贊美管仲的輔佐桓公，爲什麼這裡又責備他器量狹小？
3. 禮治與法治的差別何在？
4. 孔子正名思想的要點爲何？

一一　論語(四)——宗教、天命

【題解】

本課十四章可分爲兩部分：

第一部分說明孔子的宗教態度。除了祭祖追遠，藉表孝思，以厚民風之外，他總抱著「敬鬼神而遠之」的態度，不願投入宗教信仰之列。（可是他也不排斥宗教。）這是強調「人文主義」的孔子，有意要淡化宗教信仰，而將它轉化爲人生哲理。（參考注⑽）

第二部分說明孔子對「天」的看法。除了把「天」與「命」並觀，作爲客觀因素的指稱之外（7章到11章），孔子心目中的「天」，多少仍有「意志天」的成分（12章到14章）。

除了「運命天」（非人力所及之客觀因素）、「意志天」之外，先秦學者對「天」的看法還有幾種：一、「自然天」，這是荀子的看法，純以自然科學的眼光來看「天」。二、「道德天」，這是孔孟的看法，設定有一抽象集合體，作爲一切人道的起源。三、「形上天」，這是道家的立場，認爲「天」是宇宙理律之所歸，爲天下萬物所仿效的對象。四、「主宰天」，這是墨家的看法，與宗教的立場一致，認爲「天」能主宰萬物，爲萬物界定了不可變換的結果—「命運」。（與前頭的「運命」不同。）

【本文】

一

1.樊遲⑴問知⑵，子曰：「務民之義⑶，敬鬼神而遠之⑷，可謂知矣。」（雍也）

2.子不語：怪、力、亂、神⑸。（述而）

3.曾子曰：「愼終追遠⑹，民德歸厚矣！」（學而）

4.子曰：「……祭如在，祭神如神在。」子曰：「吾不與祭，如不祭。⑺」（八佾）

5.王孫賈⑻問曰：「與其媚於奧，寧媚於竈⑼，何謂也？」子曰：「不然。獲罪於天，無所禱也。⑽」（八佾）

6.子曰：「非其鬼而祭之，諂也⑾。」（爲政）

二

7.子曰：「吾十有五而志於學，三十而立⑿，四十而不惑⒀，五十而知天命⒁，六

十而耳順⒂，七十而從心所欲，不踰矩⒃。」（爲政）

8.子曰：「君子有三畏：畏天命，畏大人⒄，畏聖人之言。小人不知天命，而不畏也，狎⒅大人，侮聖人之言。」（季氏）

9.司馬牛⒆憂曰：「人皆有兄弟，我獨亡⒇！」子夏曰：「商㉑聞之矣：『死生有命，富貴在天㉒。君子敬而無失，與人恭而有禮，四海之內，皆兄弟也。』君子何患無兄弟也？」（顏淵）

10.伯牛㉓有疾，子問㉔之，自牖㉕執其手㉖曰：「亡㉗之，命㉙矣夫！斯人㉙也，而有斯疾也！斯人也，而有斯疾也！」（雍也）

11.公伯寮㉚愬㉛子路於季孫㉜，子服景伯㉝以告曰：「夫子㉞固有惑志於公伯寮，吾力猶能肆諸市朝㉟。」子曰：「道之將行也與，命也；道之將廢也與，命也㊱，公伯寮其如命何？」（憲問）

12.子曰：「莫我知(37)也夫！」子貢曰：「何爲(38)其莫知子也？」子曰：「不怨天，不尤人，下學而上達(39)，知我者其天乎！」（憲問）

13.子見南子(40)，子路不說，夫子矢(41)之曰：「予所否者(42)，天厭(43)之，天厭之！」（雍也）

14.子曰：「予欲無言。」子貢曰：「子如不言，則小子何述焉(44)？」子曰：「天何言哉！四時行焉，百物生焉；天何言哉？」（陽貨）

【注釋】

(1)樊遲—姓樊，名須，字子遲，魯人，孔子弟子，少孔子三十六歲。

(2)知—通「智」，智慧。

(3)務民之義—務，動詞，專心致力地去做。民，即「人」，非臣民之民。本句是說一個人若能專心致力地去做該做的事。

(4)敬鬼神而遠之—對鬼神尊敬而不受其迷惑。指不當成宗教信仰，不去親近祂，向祂祈求，但也不受他左右。遠，音ㄩㄢˋ。

(5)不語怪力亂神—不講求怪異、勇力、悖亂、鬼神之事。（「語」不只「說」而已，含有「講求」之意）

(6)愼終追遠—愼終，辦理喪葬能謹愼（指盡哀合禮）。追遠，誠敬祭祀祖先以表追念。
(7)祭如在……如不祭—祭祀須講求兩種誠敬：一是有如所祭拜的人就在面前一般，一是自己必須親臨其事。如果只是做些象徵式的儀節，或找別人替代去祭拜，那便沒有誠意了。
(8)王孫賈—衛國大夫。
(9)與其……竈—奧，指室內的西南角，是隱密尊貴之處，古代祭拜「家神」都在此處。竈，指竈神，今俗稱「灶君」。這兩句是說與其向家神祈求，不如多討好竈神，請他上天後多說些好話。
(10)獲罪……禱矣—這裡的「天」指的是「意志天」。兩句意思是：如果行事不正，違逆天道，雖然常祈禱，也是沒有用的。孔子講求「人文主義」，要以人的修爲，去面對一切，所以對於宗教的看法並不表示贊同。
(11)非其……諂也—不是他自己的祖先，卻去祭祀他，就是諂媚。鬼，人死稱鬼，此指祖先。
(12)立—自立，指有待人處事接物之自主能力。
(13)不惑—通達事理，沒有疑惑。
(14)知天命—了解客觀因素非人力所能轉變。（參考題解）
(15)耳順—一有聽聞，便能得知其理。這是高度成熟的智慧，把事理融會貫通，一觸即得，不必思量。
(16)從心所……矩—任由心意去做，也不會越出法度。這是修養的最高境界，無須刻意留心，自然而然地一切都合乎法度。
(17)大人—指有德位名望的人。

⒅狎—輕視。

⒆司馬牛—名耕，字子牛，桓魋（音ㄊㄨㄟˊ）之弟，宋人，孔子弟子。

⒇人皆有……獨亡—司馬牛哥哥桓魋謀叛宋景公失敗出奔，他自己到處流亡，淪落在魯國，必裡很憂愁，所以才向子夏如此說。亡，音ㄨˊ，古「無」字。

(21)商—子夏姓卜名商。

(22)死生……在天—「命」「天」都是指客觀因素。這兩句是說死生富貴不是要就可得，不要就不來的，當中有人力所不能掌握的客觀條件在。

(23)伯牛—姓冉，名耕，字伯牛，魯人，孔子弟子。少孔子七歲。

(24)問—探病。

(25)牖—窗戶。

(26)執其手—握著他的手。

(27)亡—喪，謂如果不幸喪命。

(28)命—天命，指生死非人能控制。

(29)斯人—這種人，指伯牛。

(30)公伯寮—魯人。

(31)愬—說別人的壞話。

(32)季孫—魯大夫。

(33)子服景伯—魯國大夫，謚景，字伯。

(34)夫子—指季孫。

(35)肆諸市朝—讓他陳尸在市朝，指將殺公伯寮。

(36)……命也—指「道」之行與不行有很多外在因素。

(37)莫我知—即「莫知我」，文言文的句法與白話文不同。

(38)何爲—何謂。

(39)下學而上達—下學，研思人世的道理；上達，窮究天道。

(40)南子—衛靈公之夫人，有淫亂之行爲。

(41)矢—誓。

(42)予所否者—我如有不合乎道的地方。

(43)厭—棄絕。

(44)小子何述焉—小子，弟子。述，遵循。

【討論】

1.請說明孔子對宗教的態度？

2.試述孔子對「天」的看法？

3.請說明孔門對「命」的看法？

一二　唐宋詩選㈢──五律

㈠杜少府之任蜀州　　王　勃

城闕輔三秦，風烟望五津。與君離別意，同是宦遊人。海內存知己，天涯若比鄰。無爲在歧路，兒女共沾巾。

㈡望月懷遠　　張九齡

海上生明月，天涯共此時。情人怨遙夜，竟夕起相思。滅燭憐光滿，披衣覺露滋。不堪盈手贈，還寢夢佳期。

㈢山居秋暝　　王　維

空山新雨後，天氣晚來秋。明月松間照，清泉石上流。竹喧歸浣女；蓮動下漁舟。隨意春芳歇，王孫自可留。

㈣過故人莊　　孟浩然

故人具雞黍，邀我至田家。綠樹村邊合，青山郭外斜。開軒面場圃，把酒話桑麻。待到重陽日，還來就菊花。

㈤贈孟浩然　李　白

吾愛孟夫子！風流天下聞。紅顏棄軒冕，白首臥松雲。醉月頻中聖，迷花不事君。高山可安仰？徒此挹清芬！

㈥旅夜書懷　杜　甫

細草微風岸，危檣獨夜舟。星垂平野闊，月湧大江流。名豈文章著？官應老病休。飄飄何所似？天地一沙鷗。

㈦草　一作「賦得古原草送別」　白居易

離離原上草，一歲一枯榮；野火燒不盡，春風吹又生。遠芳侵古道，晴翠接荒城。又送王孫去，萋萋滿別情！

㈧道中寒食　陳與義

斗粟淹吾駕，浮雲笑此生。有詩酬歲月，無夢到功名。客裡逢歸雁，愁邊有亂鶯。楊花不解事，更作倚風輕。

(一)杜少府(1)之任蜀州(2)

王勃

【作者】

王勃，字子安，絳州龍門（今山西河津縣西）人。生於唐高宗永徽元年（西元六五〇年），死於高宗上元三年（西元六七六年），年僅二十七歲。

王勃爲隋末大儒王通（世稱文中子）之孫，六歲能文章，九歲讀顏師古的漢書注，曾作指瑕十卷。他未成年就應舉及第，授朝散郎。上元二年（西元六七五年），二十六歲，他的父親任交趾（今越南北部）令，王勃前去探視，路經洪州（今江西南昌），恰逢都督閻公在滕王閣宴客，於是即席作「滕王閣賦」爲序，捷才獲得滿座讚賞。其中有「落霞與孤鶩齊飛，秋水共長天一色」的二句。爲後世譽爲千古名句。後來到南海（今廣東廣州），渡海溺水，受驚生病而死。

王勃文章宏麗，和楊炯、盧照鄰、駱賓王齊名，號稱「初唐四傑」。他的詩和文一樣，都是過渡時期的形態：有六朝宮體詩的排偶靡麗，又有樂府詩的質樸平俗。加上自負才氣，不肯低就，故詩中也常表現出浪漫的個人情思，而有田園詩人的風味。著有王子安集十六卷。

【本文】

城闕輔三秦(3)，風烟望五津(4)。與君離別意，同是宦遊人。海內存知己，天涯若比鄰(5)。無爲在歧路，兒女共沾巾。

【注釋】

(1)少府—官名，縣尉的別稱。
(2)蜀州—現在的四川崇慶縣。
(3)輔三秦—為三秦之地所護衛著。三秦，在今陝西中部，即長安附近的關中之地。項羽滅秦後，把關內分給三位秦的降將，雍王、塞王、翟王，所以叫做三秦。
(4)風烟望五津—望向四川的五個渡口，只見風煙杳渺。五津，是長江沿岸的五個渡口，叫白華、萬里、江首、涉頭、江南等五津。都在四川境內。
(5)比鄰—近鄰。比，音ㄅㄧˋ。

【賞析】

這是一首送別詩，他的友人從長安外放到蜀州做縣尉，勸慰友人莫為離別傷感。

首先將離別的地點與所要前去的地方縮在一起，除了點出詩題外，也顯示出兩人依依不捨，時而遠望，時而近眺的神情。同時，借著「輔三秦」與「風烟」的對比，把離情之淒然擴張了。接著，以兩人俱在他鄉為官，說明離別之無奈與不可避免。於是，只有藉著海內二句，強調知心為貴，不必為離情所苦。出語豪邁，胸襟曠達，雖是慰藉語，卻也是最能面對現實的作法。

律詩的首聯，可以不用對仗，但只要事實湊得好，一開始就可對仗，且能增加本詩的氣勢。像這首詩的城闕二句，即為例證。

(二)望月懷遠　　張九齡

【作者】

張九齡，字子壽，曲江（今廣東曲江縣）人。生於唐高宗咸亨四年（西元六七三年），死於玄宗開元二十八年（西元七四〇年），享年六十八歲。玄宗時，官至中書令，後來被李林甫所排擠，貶爲荊州長史。死後賜謚文獻。

他早期的詩帶有濃厚的臺閣氣息，晚期則一反宮體格調，偏好建安風骨，而筆調趨於浪漫，曾仿陳子昂作感遇詩十二首，清新流暢，平易自然，和陳子昂並稱。

【本文】

海上生明月，天涯共此時。情人怨遙夜，竟夕起相思。滅燭憐光滿(6)，披衣覺露滋。不堪盈手贈(7)，還寢夢佳期。

【注釋】

(6)憐光滿——喜愛明亮的月光。

(7)不堪盈手贈——不能滿手捧著月光贈給遠方的人。

【賞析】

這是一首因眼前景色而引發思念遠人幽情的詩。

「月」所以惹人憐愛，並非由於她的光亮，而是因爲她爲情人所共望。透過「月」的聯繫，兩地遙隔的情人得以互寄情愫，所以他寧可滅掉燭光，冒著濕露，到屋外去望月。想撈個滿把送給情人，又做不到，只好回到屋裡算計會面佳期。

本詩重點在「望」、「懷」兩個意念，「海上」「天涯」「相思」「佳期」「滅燭」「露滋」「寢夢」等切合情境之詞，都是由此而生的。

再就章法來說，第一句說月字，第二句說遠字，第三句說望字，第四句說懷字。五、六兩句，都是說望月。七、八兩句，都是說懷遠。題面四個字，處處有著落，眞是句句切題，語無虛設。

不過這詩的頷聯，在字面看來，對仗不甚工切。那是因爲唐初的律詩還沒有完全成熟，不免留存著古詩的格調的緣故。

㈢山居秋暝(8)

王　維

【作者】

王維，字摩詰，太原祁（今山西祁縣）人。
唐武后大足元年（西元七〇一年），王維生。
玄宗開元四年（西元七一六年），十六歲，作洛陽女兒行。
開元五年（西元七一七年），十七歲，作九月九日憶山東兄弟。
開元七年（西元七一九年），十九歲，參加京兆府試，中了第一名解頭。
開元九年（西元七二一年），二十一歲，進士及第，調爲大樂丞。
開元二十二年（西元七三四年），三十四歲，擢爲右拾遺。
開元二十五年（西元七三七年），三十七歲，充監察御史，奉使出塞。
玄宗天寶七年（西元七四八年），四十八歲，營藍田輞川別墅好佛守齋，與裴迪往來唱和。
天寶十五年（西元七五六年），五十六歲，安祿山造反，攻陷長安，維來不及逃走，被賊俘獲，祿山素仰他的才華，強迫他出任侍中。曾作凝碧詩，寄託其感慨，亂事平定後，這首詩替他減輕不少罪。

肅宗乾元二年（西元七五九年），五十九歲，轉任尙書右丞。世稱王右丞。

肅宗上元二年（西元七六一年），六十一歲，王維死。

王維是一個多才多藝的藝術家，擅長詩歌、音樂、繪畫，而他的山水畫和田園詩，更有著密切的聯繫，故蘇東坡讚美他「詩中有畫，畫中有詩。」王維是盛唐有名的自然派詩人，所作田園詩稱爲輞川集。另著有王右丞集。

【本文】

空山新雨後，天氣晚來秋。明月松間照，清泉石上流。竹喧歸浣女(9)，蓮動下漁舟(10)。隨意春芳歇(11)，王孫(12)自可留。

【注釋】

(8)暝—夜晚。

(9)竹喧句—竹林裡一片喧鬧聲，這是浣洗的婦女們歸來了。浣，音ㄨㄢˇ。

(10)蓮動句—溪上蓮葉微動，是因爲漁舟順水而下。

(11)隨意春芳歇—隨意，任憑。春芳，春草。歇，凋零。

(12)王孫—本指貴族子弟，也用來指遊子、隱士，這裡是作者自謂。

【賞析】

這首詩寫秋夜月下山村的景物，暗含幽靜閒適之情境。

起首兩句，把題面的「山」字和「秋」字先點出來，而「新雨後」三個字，使得秋天的另一種美——不屬於蕭颯頹敗的美，得以從松、月、泉、石等自然景物，以及浣衣、漁舟等風土人情身上透出；也由於有這一份幽美，才使詩人無視艷麗春光的消逝，而恬適其中。當然，詩人的這一份雅興，也是我們所不容易達到的，所以紀曉嵐說他「情而遠」。

律詩的句法應避免重複，頷聯的動詞「照」「流」置於句末，頸聯「歸」「下」二字就不宜用在句末，成爲「竹喧浣女歸，蓮動漁舟下。」而和上聯相重。又本篇著眼於「秋暝」二字，所以結句的「春芳」顯然是用來陪襯主題的，看來似乎平淡，意趣卻相當深遠。

(四)過故人莊

孟浩然

【作者】

孟浩然，湖北襄陽人。生於唐武后永昌元年（西元六八九年），死於玄宗開元二十八年（西元七四〇年）。他和王維齊名，爲自然詩人的兩大代表。他四十歲前，受當時隱逸風氣的影響，在鹿門山居住相當長的一段時間。四十歲赴京參加進士考試，未能考取，因作歲暮歸南山詩，有「北闕休上書，南山歸敝廬，不才明主棄，多病故人疏。」的詩句，足見他雖身在草野，卻心懷朝廷。他著有孟浩然集。

【本文】

故人具雞黍⒀，邀我至田家。綠樹村邊合，青山郭外斜。開軒面場圃⒁，把酒話桑麻。待到重陽日，還來就菊花。

【注釋】

⒀具雞黍——具，準備。黍，是一種有黏性的穀類植物，北方人稱爲黃米子。具雞黍，就是殺雞做飯。

⒁「開軒」句─軒，窗子。場，曬穀物的地方。圃，種菜蔬瓜果的園地。

【賞析】

本詩寫田家閒適恬淡的生活，讀之倍覺親切，不像王維的情境那麼幽遠。

這首詩主要是表現兩種田園之美——自然風光與居家質性。起首二句說明故人之眞摯熱忱，三、四兩句，敘述田莊的景觀。五、六兩句寫和老友把酒聚談之趣，兼有兩種田園之美。末兩句，還留有後約，「待」字和「就」字固然用得妙，「重陽」與「菊花」二物，更顯示此一後約之重大意義，而田園之美與樂，也因此推向無窮。

(五)贈孟浩然

李白

【作者】

李白，字太白，號青蓮，先世隴西成紀（今甘肅天水附近）人，家居四川綿州（今四川綿陽縣）。

唐武后大足元年（西元七〇一年），李白生。

玄宗開元八年（西元七二〇年），二十歲，益州長史蘇頲認爲白天資特妙，如稍爲努力，就可媲美司馬相如。

開元十四年（西元七二六年），二十六歲，離開四川，仗劍東遊。到過金陵、揚州、雲夢、安陸、山東、太原、浙江各處。

開元十六年（西元七二八年），二十八歲，在雲夢娶故相許圉師的孫女爲妻。此後十年左右，和孔巢父、韓準、裴政、張叔明、陶沔隱居在徂徠山竹溪，時號爲「竹溪六逸」。

玄宗天寶元年（西元七四二年），四十二歲，遊會稽山，和道士吳筠結交。剛好筠奉召赴京，就推薦白給玄宗，因此他也入長安。那時賀知章讀畢他的蜀道難，嘆爲「天上謫仙」。玄宗很賞識他的詩才，有詔供奉翰林。

天寶三年（西元七四四年），四十四歲，有一次玄宗和楊貴妃在沉香亭飲酒，正好牡丹盛開，就召李白，要他依清平調作歌詞，他毫不含糊地將當時情景一一融入詩句，但因詩中引用趙飛燕的故事，被他的仇家高力士發現，而進讒言觸怒了貴妃。使他的政治前途受阻，而離開長安，再度浪跡天涯。

天寶十五年（西元七五六年），五十六歲，安祿山攻陷長安。白正隱居廬山。當永王大軍東下，準備在江左自立時，白前往宣州謁見，就在永王幕下任事。

肅宗乾元元年（西元七五八年），五十八歲，永王事敗，白長期流放夜郎。次年，遇赦得釋，又回到潯陽。

肅宗寶應元年（西元七六二年），六十二歲，投靠他的族叔當塗縣令李陽冰。大約這年十一月，他因爲飲酒過度，得病而死。

李白性情倜儻，極有才華，在詩歌方面，表現飄逸豪放的風格，有「詩仙」的雅號。著有李太白集。

【本文】

吾愛孟夫子，風流(15)天下聞。紅顏(16)棄軒冕(17)，白首臥松雲。醉月頻中聖(18)，迷花不事君(19)。高山安可仰？徒此挹清芬(20)！

【注釋】

(15)風流—舉止灑脫，個性豪放不受拘束。

⒃紅顏―這裡指少年。今稱年輕貌美的女子，也用紅顏二字。

⒄軒冕―指官爵。軒，高車；冕，朝冠。

⒅中聖―喝醉酒的意思。據三國志記載：徐邈官拜尚書郎時，酒禁很嚴，有一次他私自飲酒，喝得醉醺醺，校事趙達問他公事，邈答：「中聖人。」曹操知道這件事後很生氣。鮮于輔進言：「平日醉客，謂酒清者爲聖人，濁者爲賢人；邈性修愼，偶醉言耳！」中，音ㄓㄨㄥˋ。

⒆迷花―迷戀花草。是說孟夫子生性清雅。

⒇高山二句―比喻孟浩然人格崇高，不知如何表示景仰之意，只有在此致上敬意。挹，致敬。清芬，指崇高的德行。

【賞析】

這首詩是孟浩然四十歲赴京參加進士考試落第後，要回終南山時，太白送行所作。讀來全是推崇仰慕之意，卻隱含惜其不爲世用的絃外之音。

本詩重點放在「風流」二字，所以少年拋棄功名，老年歸隱山林，醉月中酒，迷花不仕，都是詩人風流本色。根據孟浩然的事跡，他早年受當時隱逸之風影響，的確無意仕途，後來偶萌經世濟民之念，參加科考，未能如願，遂歸隱南山。太白讚賞他的人品，又惜其不遇，所以在言詞之間自然流露出這兩種情緒，並不刻意去講究章法。否則紅顏、迷花兩聯意頗相似，甚至相重複，太白的詩中是不屑這麼作的。

㈥旅夜書懷

杜　甫

【作者】

杜甫，字子美，湖北襄陽人。（因他的曾祖遷居河南鞏縣，所以又稱鞏人。）唐睿宗先天元年（西元七一二年），杜甫生。玄宗開元十四年（西元七二六年），十五歲，就能和當時文士詩歌唱和，被嘉許爲漢代的班固和揚雄一般。

開元十九年（西元七三一年），二十歲，他覺得蟄居家園，會埋沒個性和前程，便南遊吳越。以後三、四年間，他到處遊歷，也曾想去日本，但這個夢究竟沒能實現。

開元二十三年（西元七三五年），二十四歲，赴京兆考進士，沒有考取，內心鬱抑，於是放蕩於山東、山西、河南一帶，同李白、高適那一些浪漫詩人往來唱和。這時杜甫的作品，不論就社會的或藝術的觀點看來，都缺乏特色。

玄宗天寶四年（西元七四五年）左右，三十四歲。由三十五歲開始，除了偶然回老家外，在長安住了八、九年。這時他並不得志，但細心觀察社會現狀的結果，使他的作品風格有了改變。

天寶十四年（西元七五五年），四十四歲，授河西尉的小官，杜甫辭不赴任，後改爲率府參軍，他的生活依然窮困。這時，他寄養在陝西奉先的幼子餓死了，遭受巨大變故之後，詩人悲天憫人的胸懷，就直接呈現在作品裡頭。如自京赴奉先、麗人行、兵車行等，都是寫於此時。

天寶十五年（西元七五六年），四十五歲，安祿山造反，玄宗逃到四川，肅宗在靈武即位。杜甫原打算去靈武，不料途中陷入賊手，於是留居長安。當地亂離的景象，成爲他的好詩材，如哀王孫、哀江頭、春望等名篇，都是這個時期作的。

肅宗至德二年（西元七五七年），四十六歲，逃抵鳳翔，謁見肅宗，授左拾遺。因房琯兵敗被連累，免官放還鄜州。這年冬天，官軍收復長安，他從鄜州來京，再官左拾遺。

肅宗乾元元年（西元七五八年），四十七歲，出任華州司功參軍。曾赴洛陽，將沿途所見，寫成有名的「三吏、三別」。

代宗廣德二年（西元七六四年），五十三歲，嚴武擔任劍南東西川節度使，杜甫入嚴武幕下，爲參謀檢校工部員外郎，世稱杜工部。

代宗永泰元年（西元七六五年），五十四歲，嚴武死了，杜甫黯然離蜀東下。先居夔州，後入湘，登衡山。

代宗大曆五年（西元七七〇年），五十九歲，死於湘江船中。

杜甫詩顯示了唐朝由盛而衰的變化過程，所以被稱爲「詩史」，爲當時社會派詩人。他以古體、律詩見長，風格以沈鬱爲主。有杜工部集。

【本文】

細草微風岸，危檣獨夜舟(21)。星垂平野闊(22)，月湧大江流(23)。名豈文章著？官應老病休。飄飄(24)何所似？天地一沙鷗！

【注釋】

(21)危檣句—有著很高的桅桿船，在夜裡孤獨地停泊著。檣（ㄑㄧㄤˊ），掛風篷的柱桿。危檣，很高的桅桿。

(22)星垂句—遠處的星光低低地垂照著，平野顯得更加開闊。垂，照臨。

(23)月湧句—湧，躍動。月亮在不斷奔流的江裡躍動著。

(24)飄飄—行蹤不定的樣子。

【賞析】

這首詩是代宗永泰元年（西元七六五年），杜甫五十四歲時，因軍藩混亂而辭去華州司功之職，離開成都浣花草堂，乘船經過重慶、忠縣時所作。詩中用反語來表示自己的心志與情思。他認爲自己不應當只靠文章出名而已，應該在政治上有所伸展；同時，自己尚非老病，不該如此快便離開政壇。可是遭遇如此，又能奈何？想想自己的處境，不正和那到處飄泊的沙鷗一樣嗎？

首聯用「細」「微」「危」「獨」四個形容詞，點出岸上、水面所共的淒寂情景。頷聯分水陸兩方歌詠：「平野」因「星垂」而更「闊」，「獨」舟因「闊」野而更「獨」，和在江流裡湧躍的月亮相比，自己似乎也有幾分相同的飄泊感呢！頸聯即景生情，回顧平生，祇因文章而使名聲顯耀，這難道是胸懷經世壯志的杜甫所希求的嗎？如果因老病而休官，那也是應該的，可是他休了好幾次，都不是由於這個理由啊？想到身世飄零，也只有拿沙鷗自比了！結句留下不盡的餘味，耐人品嘗。

(七)草　一作「賦得古原草送別」(25)

白居易

【作者】

白居易，字樂天，原籍太原（今山西省太原縣），後徙下邽（今陝西省渭南縣）。唐代宗大曆七年（西元七七二年），生於鄭州新鄭縣。

德宗貞元三年（西元七八七年），十六歲，始至長安謁顧況，作「賦得古原草送別」。

貞元十六年（西元八〇〇年），二十九歲，進士及第。

貞元十九年（西元八〇三年），三十二歲，參加「拔萃」科考試，入甲等，授秘書省校書郎。

憲宗元和元年（西元八〇六年），三十五歲，才識兼茂明於體用科及第，除盩厔（今陝西盩厔縣）縣尉，作長恨歌。

元和二年（西元八〇七年），三十六歲，授翰林學士。

元和三年（西元八〇八年），三十七歲，授左拾遺。

元和九年（西元八一四年），四十三歲，召至長安授太子左贊善。

元和十年（西元八一五年），四十四歲，宰相武元衡被刺，上疏請捕賊，以越權之罪貶江州（今江西九江）司馬。

元和十一年（西元八一六年），四十五歲，作「琵琶行」。

元和十二年（西元八一七年），四十六歲，長兄幼文歿於浮梁，築草堂於廬山。

元和十三年（西元八一八年），四十七歲，除忠州（四川忠縣）刺史。

元和十五年（西元八二〇年），四十九歲，自忠州召還，拜尚書司門員外郎，更主客司郎中，除知制誥。

穆宗長慶元年（西元八二一年），五十歲，加朝散大夫，除中書舍人，知制誥。

長慶二年（西元八二二年），五十一歲，求外任，七月除杭州刺史。

長慶四年（西元八二四年），五十三歲，杭州刺史任期滿，除太子左庶子，分司東都洛陽。白氏長慶集成。

文宗太和元年（西元八二八年），五十七歲，除刑部侍郎。

太和六年（西元八三二年），六十一歲，結交香山寺僧，稱香山居士。

文宗開成元年（西元八三六年），六十五歲，授太子少傅，分司洛陽，進封馮翊縣侯。

武宗會昌二年（西元八四二年），七十一歲，辭太子少傅，以刑部尚書致仕。

武宗會昌六年（西元八四六年），七十五歲，八月卒，贈尚書右僕射。

居易自幼聰慧，六歲便學作詩，二十歲以後，刻苦讀書，曾有口舌成瘡，手肘生胝的苦況。晚年白衣鳩杖，往來香山，自號香山居士，又號醉吟先生。

白居易出生於貧苦的鄉村，對貧苦早有相當的體驗，對農村的艱苦情形也非常熟悉。到了政界之後，親睹政治腐敗，民生疾苦，促成了他憂世救民、改造社會的理想。所以他提出「文章合爲時而著，歌詩合爲事而作」的號召，認爲文學要爲人生而作，文學應用來反映社會，改善時代，是當時有名的「社會詩人」。他的詩歌平易明暢，婦孺能解，不但風行當時，且流傳到朝鮮和日本，實爲中國詩人無上的榮譽。

白居易與元稹交往最爲密切，他們情意相投，常相唱和，時稱「元白」。有白氏長慶集七十一卷傳世。

【本文】

離離(26)原上草，一歲一枯榮；野火燒不盡，春風吹又生。遠芳侵古道，晴翠接荒城(27)。又送王孫去，萋萋滿別情。

【注釋】

(25)賦得……送別—賦得，謂依指定的題寫成詩。古原草送別，借描寫古原的草，來抒發送別之情。

(26)離離—草長而下垂的樣子。

(27)遠芳二句—遠芳，闊野的芳草；晴翠，晴日下的蒼翠草原。

【賞析】

這是一首借物抒情的詩。

野草翠綠芳香，本是春日的大好風光，可是在離情滿懷的詩人眼裡，卻在在都是別意；草越茂密，愁意越濃。而隨著野草的蔓延，別情也跟著擴張，不僅蓋滿草原，更遮住古道上，而伸展到遠地的荒城去。更難耐的是，這一份別情，並不隨流光的消逝而淡忘，只要一有觸發，馬上又要散播開來。秉此心緒，縱使春日煦煦，芳草萋萋，也只是平添哀愁而已！

白居易在地點上用了「古原」「古道」「荒城」，主要是要增強離別的氣氛。事實上，用芳翠草原來作對比性的烘托，反而能從「良辰美景虛設」的憾恨中，透出別情。

另外，頸聯用「遠芳」「晴翠」二詞，末句用「萋萋」，來代替「草」字，避免屢次使用「草」字的毛病，這是文字使用上的高明之處。

這首詩也有人當作諷刺詩看。「草」比喻朝中小人，「離離」是勾結成群，「原上」比喻君側，「枯榮」是去一小人又來一小人，「野火」比喻清流的力量，「春風」是乘機又崛起，「侵道」指干犯正道，「接城」是說欺凌國君，「別情」比喻小人所獻的殷勤最易打動人心了。

(八)道中寒食　　陳與義

【作者】

陳與義，字去非，號簡齋，洛陽人。生於宋哲宗元祐五年（西元一〇九〇年），死於宋高宗紹興八年（西元一一三八年），年四十九歲。

他在宋徽宗政和年間（西元一一一一年—一一一七年），登上舍甲科，歷太學博士，擢升爲符寶郎。南渡後，召爲兵部員外郎。高宗紹興年間，官翰林學士，知制誥，官至參知政事。他竭盡心力，以輔朝廷，推尊君威，以振綱紀，時稱賢臣。

簡齋是江西詩派後期的代表作家。他才情過人，對前賢作品，博觀約取，並不只是株守黃派（黃庭堅）的成規，所以能融會貫通，創造出較爲圓活的風格，而不是專以奇峭拗硬見長，因此，他成爲江西詩派的改革者。著有「簡齋集」。

【本文】

斗粟淹吾駕(28)，浮雲笑此生。有詩酬歲月，無夢到功名(29)。客裡逢歸雁，愁邊有亂鶯(30)。楊花不解事，更作倚風輕。

【注釋】

(28)斗粟句──斗粟，指微薄的俸祿。淹，埋沒，指官吏久居下位。本句是說：我久居下位，靠些微薄的俸祿過活。

(29)有詩……名──這些年來雖有詩篇的創作，聊表寸心；但功名的事，卻連作夢都不敢想。

(30)亂鶯──鶯聲亂啼，擾人心緒。

【賞析】

這是一首遣懷詩。詩中透出些許的仕宦之無奈，和綿長的飄泊之愁。

起首四句道出現時的處境，而以淡然的筆法來處理，與杜甫「名豈文章著」的激情不同。這「淹」字、「笑」字和「無夢」，將平生的心志、際遇，以及自己的無奈，很傳神的表現了出來。由於有這樣的失意，所以五、六句才能見景生情，藉歸雁托出宦遊的鄉愁。而「亂鶯」的出現，則頓然使愁意轉濃，前頭「浮雲笑此生」，事關功名，尚能忍受，此番「亂鶯」擾人，罔視情緒，便無法忍受了。末兩句，則變本加厲，由聽覺的干擾變成視覺的刺激，看著不解人情的楊花隨風輕飄，內心的抑鬱也散布得更廣，拉得更遠。

一三　唐宋詩選㈣——七律

㈠黃鶴樓　　崔　顥

昔人已乘黃鶴去，此地空餘黃鶴樓；黃鶴一去不復返，白雲千載空悠悠。晴川歷歷漢陽樹，芳草萋萋鸚鵡洲。日暮鄉關何處是？煙波江上使人愁！

㈡積雨輞川莊作　　王　維

積雨空林烟火遲，蒸藜炊黍餉東菑。漠漠水田飛白鷺，陰陰夏木囀黃鸝。山中習靜觀朝槿，松下清齋折露葵。野老與人爭席罷，海鷗何事更相疑？

㈢登金陵鳳凰臺　　李　白

鳳凰臺上鳳凰遊，鳳去臺空江自流。吳宮花草埋幽徑，晉代衣冠成古邱。三山半落青天外，二水中分白鷺洲。總爲浮雲能蔽日，長安不見使人愁？

㈣蜀相　　杜　甫

丞相祠堂何處尋？錦官城外柏森森。映階碧草自春色；隔葉黃鸝空好音。三顧頻煩天下計，兩朝開濟老臣心。出師未捷身先死，長使英雄淚滿襟！

(五)無題　李商隱

相見時難別亦難，東風無力百花殘！春蠶到死絲方盡，蠟炬成灰淚始乾。曉鏡但愁雲鬢改，夜吟應覺月光寒。蓬萊此去無多路，青鳥殷勤爲探看。

(六)貧女　秦韜玉

蓬門未識綺羅香，擬託良媒亦自傷。誰愛風流高格調？共憐時世儉梳妝。敢將十指誇鍼巧？不把雙眉鬥畫長。苦恨年年壓金線，爲他人作嫁衣裳！

(七)憶滁州幽谷　歐陽修

滁南幽谷抱千峰，高下山花遠近紅。當日辛勤皆手植，而今開落任春風。主人不覺悲華髮，野老猶能說醉翁。誰與援琴親寫取？夜泉聲在翠微中。

(八)書憤　陸游

早歲那知世事艱，中原北望氣如山。樓船夜雪瓜州渡，鐵馬秋風大散關。塞上長城空自許，鏡中衰鬢已先斑。出師一表眞名世，千載誰堪伯仲間？

(一)黃鶴樓(1)　崔顥

【作者】

崔顥，唐汴州（今河南開封市）人。生於武后長安年間（西元七〇一年—七〇四年），死於玄宗天寶十三年（西元七五〇年）。

開元十一年（西元七二三年），登進士第，累官至尚書司勳員外郎。他年輕時才氣出衆，言行往往不顧儒生身分，頗爲人所詬病，而早期的作品也流於輕艷；晚年忽變常態，風骨凜然。其作品今無專集，全唐詩裡錄有詩一卷，共四十二首。

【本文】

昔人已乘黃鶴去⑵，此地空餘黃鶴樓；黃鶴一去不復返，白雲千載空悠悠⑶。晴川歷歷漢陽樹⑷，芳草萋萋⑸鸚鵡洲；日暮鄉關⑹何處是？煙波江上使人愁。

【注釋】

⑴黃鶴樓—在今湖北武昌縣西黃鵠磯上，登臨可俯瞰江流，極目千里，是我國名勝之一。

⑵昔人句—相傳以前費文禕羽化登仙後，常乘著黃鶴在武昌城西的江石上憩息。後人建樓於磯上，就命名爲黃鶴樓。昔人，指傳說中的仙人。

⑶悠悠—久長。

⑷晴川句—晴川，晴朗的江面。歷歷，分明的樣子。本句是說：天晴時，從江面望去，對岸漢陽的樹木盡入眼簾。

(5)萋萋—草茂盛的樣子。
(6)鄉關—故鄉。

【賞析】

這是一首登臨詠懷詩，其所以能傳誦千古，在於脫口而出，就把黃鶴樓的典故與景觀，交代得自然而又宏麗，更重要的是，結語二句藉著時光的轉換、景物的變化引出鄉情，使黃鶴樓湧入社會，而不是離世孤立的據點，同時，也使黃鶴樓變得有生命、有情性，而不只是冷漠的山光水色而已。詩中用二「空」字，表示「樓」「雲」之孤寂，暗透自己之獨遊飄蕩。

就格律而言，頷聯上句連用六個仄聲字，下句連用三個平聲字，完全是古詩的句法，不合於七律的要求。又首聯的第一句，據李白的說法，應作「昔人已乘白雲去，」始與第二句不相犯；並和頷聯中分述黃鶴、白雲有了照應。第一個現象，說明了古人作詩，有時興到筆隨，不按格律，竟成名作，但並非人人可學的。第二個現象，說明古人作品經輾轉傳抄，難免有所出入，所以不可太拘泥字義，否則便窒礙難通。

相傳李白登臨黃鶴樓時，本來有意借其生花妙筆，爲江上添勝，不料看了這首詩，嘆道：「眼前有景道不得，崔顥題詩在上頭。」足見本詩的引人入勝了。後來，李白遊金陵，作「登金陵鳳凰臺」，顯然有意和本詩抗衡。

(二)積雨(7)輞川莊(8)作

王維

【作者】

參見一二課(三)山居秋暝作者。（頁八九）

【本文】

積雨空林烟火遲(9)，蒸藜炊黍餉東菑(10)。漠漠(11)水田飛白鷺，陰陰夏木囀(12)黃鸝。

山中習靜觀朝槿(13)，松下清齋折露葵(14)。野老與人爭席罷(15)，海鷗何事更相疑(16)？

【注釋】

(7)積雨—久雨。

(8)輞川莊—輞川，水名，在陝西省藍田縣南。莊，指別墅。王維有別墅在輞川。

(9)烟火遲—這烟火就是下句蒸藜炊黍所生的。遲，遲緩。因爲積雨剛過，所以烟火上升比較遲緩。

(10)蒸藜句—餉，送飯食。菑（ㄗ），田畝。這句是說：煮好飯菜，並送到東邊田畝去給農夫吃。

⑾漠漠—廣闊的樣子。
⑿囀—當動詞用，啼鳴的意思。
⒀朝槿—早晨時候的木槿花。這種花朝開暮落，最易凋謝。
⒁露葵—帶露的葵葉。
⒂野老句—野老，田野的老人，是作者的自稱。爭席，原意是爭座位，引申爲爭奪地位。這句是說：我這個野老，已罷官退隱，不再與他人有所爭了。
⒃海鷗句—既然人心裡沒有機詐的念頭，和自然界裡的海鷗該很容易親近才是，爲什麼海鷗還要忌怕我呢？

【賞析】

本詩借輞川莊積雨後的景物，述說自己退隱後的閒適情趣，全詩重點全在境之「靜」與情之「閑」。前四句寫山中之「靜」。炊煙緩起，農婦送飯，本是農家最常見的景象，但在詩人眼中，卻是好一幅寧靜和樂的畫面！頷聯用晃晃水田的白鷺，與濃蔭樹林的鸝聲，來表現自然的幽閑，與前兩句相承，正好構成山居生活的兩大部分—風土人情。此情此境，難怪詩人也是一副安恬自在的樣子，只不知，是景誘人情？或人擇此景？

末聯基於自己辭官後不與人爭的心志，而不解海鷗爲何還心存疑忌，不肯親近？問得似若天眞，卻也含有幾許譏刺——譏刺世人不肯息止爭訟。

(三)登金陵鳳凰臺(17)

李　白

【作者】

參見一二課(五)贈孟浩然作者。（頁九四）

【本文】

鳳凰臺上鳳凰遊，鳳去臺空江自流。吳宮花草埋幽徑(18)，晉代衣冠成古邱(19)。三山(20)半落青天外，二水中分白鷺洲(21)。總爲浮雲能蔽日，長安不見使人愁(22)。

【注釋】

(17)鳳凰臺—相傳南朝宋文帝元嘉年間，有鳳凰翔集在江寧府（今南京市）城內的西南，後人遂在此建臺，名爲鳳凰臺。

(18)吳宮句—三國時，吳國孫權在金陵（即南京）建都，所以叫吳宮。這裡是說：當年吳宮的花草，如今早已埋沒在荒僻的小徑裡。

⒆晉代句—東晉偏安時，也建都於金陵。衣冠，指當時的王、謝等顯貴世家。古邱，指荒塚。這裡是說：當年東晉的一些衣冠貴族，如今已變爲纍纍的古墳了。

⒇三山—江寧縣北，江邊有三座山峰相接，因而取名爲三山。

㉑二水句—白鷺洲在江寧縣西三里，洲在水中，把秦淮河分爲兩條水道。

㉒總爲……愁—浮雲能遮蔽陽光，隱喻君王遭群小蒙蔽；長安不見，即「不見長安」。長安是唐代的京城，君王的所在地。這裡是說：總因君王被那一群小人所蒙蔽，使得自己長久流落在外，不見重於君王，眞是令人愁思滿懷啊！

【賞析】

這是一首弔古詠懷詩。

太白此詩顯然要和崔顥爭勝，所以用黃鶴樓詩原韻（只流邱二韻不同），而格局句式，也與前詩接近。頷聯二句，寫景之中有感慨，深得弔古詩義；吳宮花草、晉代衣冠，固已成爲陳跡，三山、二水，依舊聳立奔流，和第二句「鳳去臺空江自流」正好相應，同時，也給結語二句的憂國之情立下基礎。吳、晉皆曾有過盛世之局，而今仍落得幽徑古邱，唐雖盛隆，若憑這些小人長期破壞下去，遲早是要重蹈歷史覆轍的，怎不「令人愁」呢？「鳳去臺空江自流」，物是人非的情景是不好受的！

【討論】

△請比較崔顥「黃鶴樓」詩和李白「登金陵鳳凰臺」的旨趣與取材。

(四)蜀相(23)

杜甫

【作者】

參見一二課(六)（頁九七）旅夜書懷作者。

【本文】

丞相祠堂何處尋？錦官(24)城外柏森森(25)。映階碧草自春色，隔葉黃鸝空好音(26)。三顧(27)頻煩天下計，兩朝開濟(28)老臣心。出師未捷(29)身先死，長使英雄淚滿襟！

【注釋】

(23)蜀相——指諸葛亮，他是三國時蜀漢丞相。

(24)錦官——成都的西城，舊名叫官城。

(25)森森——樹木茂盛的樣子。

(26)映階二句—映照階前的綠草，徒自呈現一片春色；隔著枝葉的黃鸝，把美好的聲音空然啼叫起來。這兩句暗含物是人非之感歎。

(27)三顧—指劉備三顧茅廬，請諸葛亮出山相助之事。

(28)兩朝開濟—兩朝，指先主劉備的章武朝，和後主劉禪的建興朝。開，開基。濟，扶助。諸葛亮前佐章武是開基，後輔建興是扶助，所以叫做兩朝開濟。

(29)捷—勝利。

【賞析】

這是一首謁祠兼詠史詩，是肅宗上元元年（西元七六〇年），杜甫剛從關中流落到成都時所作的。前半寫景，以「自」「空」二字爲骨幹，寄託物是人非之感嘆。後半論事，運語沈痛，把當時和後世的悲感全部展現出來。武侯一生志業雖未成功，但一片忠心足可驚天地泣鬼神。衡諸杜甫的遭遇，這首詩多少也是在爲自己的忠心而憾恨的。

㈤無題　李商隱

【作者】

李商隱，字義山，號玉谿生，懷州河內（今河南沁陽）人。唐憲宗元和七年（西元八一二年）生，宣宗大中十二年（西元八五八年）卒，文宗開成二年（西元八三七年），進士及第，曾任縣尉，秘書郎和東川節度使判官等職，因受牛李黨爭影響，遭受排擠，終身潦倒。所作詠史詩多託古諷諭，意旨深遠；好作「無題」詩，最爲有名。善於律詩絕句，但好用典故，難免有晦澀之病。有李義山詩集。

【本文】

相見時難別亦難，東風無力百花殘！春蠶到死絲方盡，蠟炬成灰淚始乾。曉鏡但愁雲鬢(30)改，夜吟應覺月光寒。蓬萊(31)此去無多路，青鳥(32)殷勤爲探看。

【注釋】

(30)雲鬢——耳前髮尖如密雲一般，故稱雲鬢。

(31)蓬萊—仙山名，相傳在渤海中。

(32)青鳥—相傳爲西王母的使者。

【賞析】

李商隱有很多「無題」詩，雖有所指，卻不明言；後世揣測之詞亦多，我們不必非找出其寄託的意思不可，否則反而會流於武斷陝隘。

這首無題詩，是一首離歌，對象雖然不得而知，但詩中的眞摯情意，則是明顯而堅定的。首句發抒會面不易、分離更難之情。次句借景點出時令，並暗示分離並非自己能力所能改變。頷聯以兩物作譬喩，說明兩情堅定，只要一息尚存，是不會放棄這一段情的。頸聯的「但愁」「應覺」，都是揣測對方情況之詞，體貼之心，油然而生，末聯的「蓬萊」隱指對方居住的所在，「青鳥」是希望有人替彼此傳遞消息。

㈥貧女　　秦韜玉

【作者】

秦韜玉，字仲明，京兆（今陝西西安）人。生卒年不詳。唐僖宗中和二年（西元八八二年），敕進士及第，官至工部侍郎。著有「投知小錄」。

【本文】

蓬門⑶末識綺羅⑷香，擬託良媒亦自傷。誰愛風流高格調⑸，共憐時世儉梳妝⑹？
敢將十指誇鍼巧，不把雙眉鬥畫長⑺。苦恨年年壓金線⑻，爲他人作嫁衣裳！

【注釋】

⑶蓬門——蓬草編的門，指窮苦人家。
⑷綺羅——綺和羅，本是兩種絲織布料的名稱，這裡指富貴人家的衣服。

(35)格調—品格和才調。
(36)共憐句—共體時艱，儉省梳妝用度。
(37)敢將二句—只敢誇耀十個手指運用鍼線的靈巧，絕不願意把眉毛描起來，去和他人爭美鬥長。
(38)壓金線—捺著金線縫衣裳。隱喻：憑著實力去參加科考。

【賞析】

本詩雖是貧女自傷身世，實際上也是貧士懷才不遇的寫照。詩中雖有怨語，卻樸直無恨，而以自矜清高為主，與一般的感遇詩不同。

前四句以貧女不懂講究衣著，只知體恤時艱，儉樸自高，以致無良媒可尋，比喻貧士所以未得功名，實因乏人提引，不苟同流俗之故。頸聯以巧手作比，重申前句不同流俗之決心。只是這份風流總要付出代價——她也只能替人縫嫁衣，而無法自作嫁娘了。一些孤高的士子，一天到晚憂國憂民，卻始終沒有機會一展才負，不也是跟這位「貧女」一般嗎？

㈦憶滁州⑶⑼幽谷　歐陽修

【作者】

歐陽修，字永叔，號六一居士。江西廬陵人。

宋眞宗景德四年（西元一〇〇七年），歐陽修生。

眞宗大中祥符三年（西元一〇一〇年），四歲，父去世，母鄭氏守節教養他。家貧，常以荻畫地學書。

大中祥符九年（西元一〇一六年），十歲，於廢書簏中得韓愈遺稿，傾慕不已。

仁宗天聖八年（西元一〇三〇年），二十四歲，中進士，調西京（洛陽）推官，被留守錢惟演所重視。和留守幕府裡的古文家尹洙、詩人梅堯臣唱和，尹、梅二人後來成爲歐陽修改革文學運動的健將。

仁宗景祐元年（西元一〇三四年），二十八歲，回京任館閣校勘，參與編修崇文書目。

景祐三年（西元一〇三六年），三十歲，范仲淹因直言上諫被貶，修上書痛詆諫官，也被貶爲夷陵縣令。

宋仁宗慶曆三年（西元一〇四三年），三十七歲，還京知諫院，拜右正言，並奉命修起居注，知制誥。

慶曆五年（西元一〇四五年），三十九歲，上朋黨論，替韓琦、范仲淹辯護，遭小人誣陷，貶爲滁州刺史。在滁自號醉翁，有名的醉翁亭記就是這時作的。

仁宗皇祐元年（西元一〇四九年），四十三歲，知潁州，好當地西湖美景，有采桑子詞十闋，都是歌詠景物之作。

仁宗至和元年（西元一〇五四年），四十八歲，擢翰林學士，受命重修唐書。

仁宗嘉祐五年（西元一〇六〇年），五十四歲，新唐書修成，拜禮部侍郎，兼侍讀學士。不久升爲樞密副使。

嘉祐六年（西元一〇六一年），五十五歲，參知政事，和韓琦同心輔政，天下清平。

神宗熙寧四年（西元一〇七一年），六十五歲，與王安石政見不合，告老歸隱潁州。

宋神宗熙寧五年（西元一〇七二年），歐陽修死。

歐陽修是宋代文學改革運動的領導者，又是散文詩詞各方面的大作家。蘇東坡說他是宋朝的韓愈，這是恰當的。以詩歌來說，韓詩險怪，歐詩卻淺明通達。著有歐陽文忠公集。

【本文】

滁南幽谷抱千峯，高下山花遠近紅。當日辛勤皆手植，而今開落任春風。主人不覺悲華髮⑽，野老猶能說醉翁。誰與援琴⑾親寫取？夜泉聲在翠微⑿中。

【注釋】

⑶滁州—隋代所置州名，宋以後沿用。清代爲直隸州，屬安徽省，轄全椒、來安二縣。民國改州爲縣。歐陽修曾被貶爲滁州刺史，並在滁自號「醉翁」。

⑷華髮—白髮，比喻老年。

⑷援琴—拉琴。

⑷翠微—山腰青翠的氣色。

【賞析】

這是一首憶舊遺懷詩，充滿時移境遷的感歎。

首聯寫山谷花木之美，頷聯承上句而憶起往日賞玩之趣，而托出今日花開花落，任由春風，乏人照撫之恨。這是對景物之變遷所發出的感歎，事實也已涵蓋了人事的更易。頸聯繼續對人事的變遷，作了莫奈的描述。正當昔時花木的主人爲光陰催而感傷的時候，滁州野老尚還記得醉翁，自己總算有些慰藉，可是，當年同遊的友人都已不在，如今有誰能拉著琴音，和我共同記取滁州南山谷那種琴聲飄向青翠山間，與夜泉結合了互應的幽趣呢？

(八)書憤　陸　游

【作者】

陸游，字務觀，自號放翁，越州山陰（今浙江紹興縣）人。

宋徽宗宣和七年（西元一一二五年），出生。

宋高宗紹興二十三年（西元一一五三年），二十九歲，參加鄉試，主司擢置第一，秦檜孫塤居其次。秦檜大怒，怪罪主司。

紹興二十四年（西元一一五四年），三十歲，參加禮部考試，主事又把陸游置在前列，但被秦檜所計陷。後來以恩蔭授福州寧德縣主簿，再遷大理寺司直。

宋孝宗隆興元年（西元一一六三年），三十九歲，遷樞密院編修官，並賜進士出身。因結交臺諫，遊說張浚對金用兵，被免官歸鄉。

乾道六年（西元一一七〇年），四十六歲，又起為夔州通判。

宋光宗紹熙元年（西元一一九〇年），六十六歲，遷禮部郎中，兼實錄院檢討官。

宋寧宗嘉泰二年（西元一二〇二年），七十八歲，奉詔修國史及實錄。次年，書成，升為寶謨閣待制致仕。

嘉定二年（西元一二〇九年），病死，享年八十五歲。

陸游忠愛出於天性，畢生以中原未復爲念，臨終時猶有「但悲不見九州同」的詩句，文章、詩詞都洋溢著孤忠之情。

詩早年受江西詩派影響，未能自成一格。中年以後，因時事之刺激，生活之磨練，於是滿腔豪情，萬千悲慨，發而爲詩，自然形成豪宕奔放的風格。

詞則以作詩方法爲之，有時不免掉書袋，然終究不脫豪放之氣，與蘇、辛詞較接近。著有渭南文集、劍南詩稿、渭南詞（一名放翁詞）。

【本文】

早歲那知世事艱，中原北望氣如山。樓船夜雪瓜州渡(43)，鐵馬秋風大散關(44)。塞上長城空自許(45)，鏡中衰鬢已先斑(46)。出師一表眞名世，千載誰堪伯仲(47)間？

【注釋】

(43)樓船句—樓船冒著雪夜，在瓜州渡江。瓜州，鎮名，在江蘇省江都縣南長江北岸，當運河之口。

(44)鐵馬句—鐵騎冒著秋風，在大散關奔行。大散關，在陝西省寶雞縣西南大散嶺上。

(45)塞上句—以收復失土自我期許，希望卻落空了。

(46)斑—半白半黑的頭髮。

(47)伯仲—原指兄弟，這裡當比擬的意思。

【賞析】

這是一首晚年發抒憤慨的詩歌，豪情壯志不減當年。前四句先敘年輕時一腔熱血，不知人事多艱，以為中原民心振作、士氣高昂，必然大有可為：「樓船夜雪」、「鐵馬秋風」，這是何等氣勢？而今希望化為泡影，鬢髮也已蒼蒼了。想到蜀漢丞相諸葛武侯的出師表，那忠貞不二，匡輔社稷的悲壯氣概，千載以來有誰能夠比擬呢？看來只有詩人自己了！

一四　新詩選㈡

㈠徐志摩「落葉小唱」
㈡聞一多「也許（葬歌）」
㈢李金髮「律」

【說明】

在新文學運動的聲浪中，「自由派」的新詩作家全心全力的爲「詩體的解放」而努力。由於太注重「除舊」了，反而無法在「布新」上有所建樹，以致人們漸漸感到不能滿足，而對新詩的走向有所疑慮。民國十二年，徐志摩、聞一多等人組織「新月社」，並從十四年起──利用北京「晨報」的副刊「詩鐫」，提倡「格律詩」，強調詩須有「音樂美」（音、節），「繪畫美」（辭藻），「建築美」（章句），並注重格調與風格，才又給了滯徊的新詩作家一條新的路徑。同時，李金髮、戴望舒等留法學人，又另闢蹊途，提倡「象徵詩」，於是新詩的寫作有了定向，而新詩的領域也大爲擴張。本課所選的新詩，即是這兩派的作品。其中，徐志摩以才氣勝，聞一多以精鍊名，有人稱之爲今之李杜。

(一)落葉小唱

徐志摩

【作者】

徐志摩，初名槱森，譜名章垿，小字又申，浙江海寧縣人。

清德宗光緒二十三年（西元一八九七年）生。

民國四年（西元一九一五年），十九歲，考入「北京大學」預科，卻輟學回鄉，與張幼儀結婚。

民國五年（西元一九一六年），二十歲，先進上海「滬江大學」，秋天改入天津「北洋大學」預科。

民國六年（西元一九一七年），二十一歲，改唸「北京大學」法科政治學門。

民國七年（西元一九一八年），二十二歲，投入梁啓超門下。後來赴美國「克拉克大學」社會學系進修。

民國八年（西元一九一九年），二十三歲，六月，「克大」畢業，九月，入紐約「哥倫比亞大學研究院」學政治。

民國九年（西元一九二〇年），二十四歲，九月，獲「哥大」文學碩士學位，又至英國「劍橋大學研究院」研究。

民國十一年（西元一九二二年），二十六歲，在德國柏林與張幼儀離婚，不爲家庭及社會所諒解。十月，回到上海。

民國十三年（西元一九二四年），二十八歲，任「北京大學」教授，認識陸小曼。四月，印度詩哲泰戈爾來訪，所有演講及談話，均由徐志摩翻譯。「新月社」的活動，也在此年積極展開。

民國十四年（西元一九二五年），二十九歲，主編北京「晨報」副刊—「詩鐫」，提倡「格律詩」。

民國十五年（西元一九二六年），三十歲，與陸小曼結婚。

民國十六年（西元一九二七年），三十一歲，與胡適等人在上海籌設「新月書店」。並任「光華大學」「東吳大學」教授。

民國十七年（西元一九二八年），三十二歲，由他主編的「新月」月刊創刊。

民國二十年（西元一九三一年），三十五歲，一月，他主編的「詩刊」創刊。十一月十九日，由南京搭飛機（貨機）赴北平，在濟南附近觸山遇難。

徐志摩才氣橫溢，熱情而富想像，加上長期留學歐美，頗能掌握歐美語法之特色，所以他的散文或新詩，隨時都浮躍著高昂的浪漫氣氛，淡渺的憂傷情調，以及完整的章句音節之美。只是比較缺乏社會疾苦，人間悲歡之記述，所以也有人嫌他的作品空洞不實。這一點，確實是徐志摩作品的弱點，然而他作品中那一份不可捉摸的美，仍是值得我們效法的。

【本文】

一陣聲響轉上了階沿，
（我正挨近著夢鄉邊；）
這回準是她的腳步了，我想——
　　在這深夜！

一聲剝啄在我的窗上，
（我正靠緊著睡鄉旁；）
這準是她來鬧著玩——你看

我偏不張皇！

一個聲息貼近我的床，
我說（一半是睡夢，一半是迷惘；）
「你總不能明白我，你又何苦
　多叫我心傷！」
一聲喟息落在我的枕邊，
（我已在夢鄉裡留戀；）
「我負了你」你說——你的熱淚
　燙著我的臉！

這音響惱著我的夢魂

（落葉在庭前舞，一陣，又一陣；）

夢完了，阿，回復清醒；惱人的——

卻只是秋聲！

【賞析】

這是一篇藉夢抒情的詩，作者用「落葉小唱」爲題，並且採取雙線並進的方法，把自己的「夢」潛伏著，反而讓讀者對於夢境留下更深刻的印象。而詩中所要表達的情思，明明是以作者的爲主，卻又把「她」的放在明處，既可採出此事的因果，又可產生「欲蓋彌彰」的功效，使讀者隨著其夢醒而投入秋夜的蕭瑟裡。

從另一個角度看，這首詩在層次上的塑造也相當高妙。隨著詩人漸濃的睡意，「她」的傾訴由遠而近的出現，詩人的反應也由平靜而激烈，雖只短短的五個小節，卻把情思惱人的始末，很貼切而又自然地表達出來。而詩人由醒入睡，未睡已夢，才夢又醒的情狀，根本是十足的「輾轉反側」之意，徐志摩不直接道出，借「夢」繞了一圈，使情境更眞實感人。末了以落葉飛舞，秋聲惱人作結，似是怪罪季節，事實上是誰在惱人呢？詩人越是百般遮掩，眞情越是流露無遺，這種筆法的應用，該是這首詩所以感人的一大因素了！

【附錄】

再別康橋

徐志摩

輕輕的我走了，
　正如我輕輕的來；
我輕輕的招手，
　作別西天的雲彩。

那河畔的金柳，
　是夕陽中的新娘；
波光裡的豔影，
　在我的心頭蕩樣。

軟泥上的青荇，
　油油的在水底招搖；
在康河的柔波裡，
　我甘心做一條水草！

那榆蔭下的一潭，
　不是清泉，是天上虹，
揉碎在浮藻間，
　沉澱著彩虹似的夢。

尋夢？撐一支長篙，
　向青草更青處漫溯，
滿載一船星輝，
　在星輝斑斕裡放歌。

但我不能放歌，
　悄悄是別離的笙簫；
夏蟲也爲我沉默
　沉默是今晚的康橋！

悄悄的我走了，
　正如我悄悄的來；
我揮一揮衣袖，
　不帶走一片雲彩。

(二)也許（葬歌） 聞一多

【作者】

聞一多，原名家驊，湖北浠水縣人。

清德宗光緒二十五年（西元一八九九年）生。

民國元年（西元一九一二年），十四歲，考進「清華學校」。（因留級兩年，直到民國十一年才畢業。）

民國八年（西元一九一九年），二十一歲，參加「五四運動」，被推爲學生會書記。

民國十一年（西元一九二二年），二十四歲，清華學校畢業。七月，赴美國「芝加哥大學美術學院」深造。

民國十二年（西元一九二三年），二十五歲，轉爲「科羅拉多大學藝術系」特別生。

民國十三年（西元一九二四年），二十六歲，轉入「紐約藝術學院」學西畫戲劇。

民國十四年（西元一九二五年），二十七歲，回國。往後數年，先後在北平「民國大學」，上海「國立政治大學」、「武漢大學」、「清華大學」任教。

民國二十七年（西元一九三八年），四十歲，任「西南聯合大學」教授，生活清苦，曾靠刻印來貼補家用。

民國三十五年（西元一九四六年），四十八歲在昆明被人暗殺。

聞一多作新詩強調格律，態度嚴謹，詞句精鍊，內容多以愛國思想爲主，曾出版「江燭」、「死水」等新詩集。另外，他在古典文學上也頗有研究，尤其有關楚辭的一些見解，更受人重視，朱自清曾在聞一多死後，把他的學術著作印成「聞一多全集」。

【本文】

也許你眞是哭得太累，
也許，也許你要睡一睡，
那麼叫蒼鷺不要咳嗽。
蛙不要號，蝙蝠不要飛。

不許陽光攢你的眼簾，
不許清風刷上你的眉，
無論誰都不許驚醒你，
我吩咐山靈保護你睡。

也許你聽著蚯蚓翻泥，
聽那細草的根兒吸水，
也許你聽這般的音樂，
比那咒罵的人聲更美；
那麼你先把眼皮閉緊，
我就讓你睡，我讓你睡，

我把黃土輕輕蓋著你，
我叫紙錢兒緩緩的飛。

【賞析】

這是一首祭喪之詩，充滿了極度哀傷裡的「平靜」。全詩只因種種「也許」，而發出種種不合情理、不可實現的「不許」與「吩咐」，有若瘋狂著的喃呢，可是當中的哀情，卻又叫人不敢以輕笑狂者的態度去面對它！這就是聞一多的精鍊，恰如一顆濃縮的丹劑，看似渺小，藥力卻綿綿不斷。

(三) 律

李金髮

【作者】

李金髮，本名金發，廣東梅縣人。

清德宗光緒二十六年（西元一九〇〇年）生。

民國七年（西元一九一八年），十九歲，進入留法預備班。

民國八年（西元一九一九年），二十歲，與張道藩、郎靜山等六十七位青年赴法國留學，他主攻雕塑。

民國十四年（西元一九二五年），二十六歲，回國。

民國十七年（西元一九二八年），二十九歲，任「南京市立美術學校」校長。

民國二十七年（西元一九三八年），三十九歲，逃往越南。

民國二十九年（西元一九四〇年），四十一歲，回廣東，替省政府辦文化工作，並創刊「文壇」雜誌。

民國三十三年（西元一九四四年），四十五歲，任駐伊朗使館秘書。

民國三十五年（西元一九四六年），四十七歲，任駐伊拉克代辦。
民國六十五年（西元一九七六年），七十七歲，在紐約病逝。
李金髮除了在雕塑上頗負盛名之外，新詩也獨具一格。他把法國象徵主義的技巧介紹到中國，形成所謂的「象徵派」。著有「微雨」、「食客與凶年」等新詩集。

【本文】

月兒裝上面模
桐葉帶了愁容，
我張耳細聽，
知道來的是秋天。

樹兒這樣消瘦，
你以爲是我攀折了

他的葉子麼？

【賞析】

象徵派的詩當然以象徵爲主，因此，他們的記述對象以及所表現的情境，往往不容易掌握。這一首「律」，是比較淺近的一首，還不至於到達「遙不可及」的地步。

題爲「律」，主要是記述自然界四時變化的規律，透過這個規律，作者所要表達的，是人的無奈。在冥冥宇宙當中，有那麼多「律」存在著，除了順應，人又能如何？作者只是把事實呈現出來，至於個中的情與境，則任由讀者去自由思尋，這正是「象徵詩」的主要特色。

一五　孔明借箭

羅貫中

【作者】

羅貫中，名本，字貫中，號湖海散人，元末明初東原（今山東東平縣）人，相傳是小說家施耐庵的門人。他爲人落落寡合，懷才不遇，於是盡全力從事通俗文學的寫作。著有三國志通俗演義、隋唐志傳、殘唐五代史演義、三遂平妖傳，以及雜劇宋太祖龍虎風雲會等。

三國歷史，在唐代已被採用爲說書的材料。到了宋代，稱講述三國故事者爲「說三分」。當時說書時所用的底本稱爲「話本」，現在所能見到最早的話本，是元代刊行的「全相三國志平話」，辭句樸野簡率。於是羅貫中把「三國志平話」加以改編，寫成雅俗共賞的「三國志通俗演義」，簡稱「三國演義」。

三國志通俗演義共二十四卷二百四十節，描寫東漢靈帝中平元年（西元一八四年），到西晉武帝太康元年（西元二八〇年），將近一個世紀間，政治、軍事的複雜局面。組織綿密，情節緊湊，故事生動，誇飾而不背離歷史，奇詭而仍近乎人情，人物個性顯明一貫。現在流行一百二十回本的三國演義，是清朝毛宗崗取羅氏書加以修訂而成的。

【題解】

本篇由三國演義第四十五回「群英會蔣幹中計」的後半部，及第四十六回「用奇謀孔明借箭」的前半部刪綴而成，鋪述孔明乘江上大霧，向曹軍借箭的經過。

三國演義頗能凸顯人物的個性，刻畫忠貞和奸佞的形象，使褒忠貶奸的觀念，深植於人心。本篇除了寫孔明神機妙算，計無遺策，使周瑜折服之外，對於周瑜的疑忌狠詐，以及魯肅的憨直忠厚，也寫得十分入神。

【本文】

操於衆將內選毛玠、于禁爲水軍都督，以代蔡、張二人之職⑴，細作⑵探知，報過江東⑶，周瑜大喜，曰：「吾所患者，此二人耳，今既勦⑷除，吾無憂矣！」魯肅⑸曰：「都督⑹用兵如此，何愁曹賊不破乎！」瑜曰：「吾料諸將不知此計，獨有諸葛亮識見勝我，想此謀亦不能瞞也。子敬試以言挑⑺之，看他知也不知，便當回報。」

魯肅領了周瑜言語，逕⑻來舟中相探孔明。孔明接入小舟對坐，肅曰：「連日措辦⑼軍務，有失聽教。」孔明曰：「便是亮亦未與都督賀喜。」肅曰：「何喜？」孔明曰：

「公謹⑽使先生來探亮知也不知，便是這件事可賀喜耳。」詭⑾得魯肅失色，問曰：「先生何由知之？」孔明曰：「這條計祇好弄蔣幹。曹操雖被一時瞞過，必然便省悟，祇是不肯認錯。今蔡張二人既死，江東無患矣。如何不賀喜？吾聞曹操換毛玠、于禁為水軍都督，則在這兩個手裡，好歹⑿送了水軍性命。」魯肅聽了，開口不得，把些語言支吾了半晌⒀，別孔明而回，孔明囑曰：「望子敬在公瑾面前，勿言亮先知此事，恐公瑾心懷妬忌，又要尋事害亮。」

魯肅應諾而去，回見周瑜，把上項祇得實說了，瑜大驚曰：「此人決不可留，吾決意斬之。」肅勸曰：「若殺孔明，卻被曹操笑也。」瑜曰：「吾自有公道斬之，教他死而無怨。」肅曰：「以何公道斬之？」瑜曰：「子敬休問，來日便見。」

次日，聚衆將於帳下，敬請孔明議事，孔明欣然而至。坐定，瑜問孔明曰：「即日將與曹軍交戰，水路交兵，當以何兵器為先？」孔明曰：「大江之上，以弓箭為先。」瑜曰：「先生之言甚合愚意，但今軍中正缺箭用，敢煩先生監造十萬枝箭，以為應敵之具，此係公事，先生幸⒁勿推卻。」孔明曰：「都督見委⒂，自當效勞。敢問十萬枝箭何時要用？」瑜曰：「十日之內可完辦否？」孔明曰：「曹軍即日將至，若候十日，必誤大事。」瑜曰：「先生料幾日可完辦？」孔明曰：「祇消三日，便可拜納十萬枝箭。」瑜曰：「軍中無戲言。」孔明曰：「怎敢戲都督！願納軍令狀⒃，三日不辦，甘當重罰。」瑜大喜，喚軍政司⒄當面收了文書，置酒相待，曰：「待軍事畢後，自有酬勞。」孔明曰：「今日已不及，來日造起，至第三日，可差五百小軍到江邊搬箭。」飲了數杯，辭去。

魯肅曰：「此人莫非詐乎？」瑜曰：「他自送死，非我逼他。今明白對眾要了文書，他便兩脅⒅生翅，也飛不去。我祇分付軍匠人等，教他故意遲延，凡應用物件都不與齊備，如此，必然誤了日期。那時定罪，有何可說？公今可去探他虛實⒆，卻來回報。」

肅領命來見孔明，孔明曰：「吾曾告子敬，休對公瑾說，他必要害我，不想子敬不肯為我隱諱⒇，今日果然又弄出事來。三日內如何造得十萬箭？子敬祇得救我！」肅曰：

「公自取其禍，我如何救得你！」孔明曰：「望子敬借我二十隻船，每隻要軍士三十人，船上皆用青布為幔(21)，各束草千餘個，分布兩邊，吾別有妙用。第三日，包管有十萬枝箭。祇不可又教公瑾得知，若彼知之，吾計敗矣！」

肅允諾，卻不解其意，回報周瑜，果然不提起借船之事，祇言孔明並不用箭竹、翎毛(22)、膠漆等物，自有道理。瑜大疑曰：「且看他三日後如何回復我。」

卻說魯肅私自撥輕快船二十隻，各船三十餘人，並布幔束草等物，盡皆齊備，候孔明調用。第一日，卻不見孔明動靜。第二日，亦祇不動。第三日四更時分，孔明密請魯肅到船中，魯肅曰：「公召我來何意？」孔明曰：「特請子敬同往取箭。」肅曰：「何處去取？」孔明曰：「子敬休問，前去便見。」遂命將二十隻船用長索相連，逕望北岸進發。是夜大霧漫天，長江之中，霧氣更甚，對面不相見，孔明促舟前進，果然是好大霧。

當夜五更時候，船已近曹操水寨(23)。孔明教把船頭西尾東，一帶擺開，就船上擂鼓

⑷吶喊。魯肅驚曰：「倘曹兵齊出，如之奈何？」孔明笑曰：「吾料曹操不敢輕出，吾等祇顧酌酒取樂，待霧散便回。」

卻說曹操寨中聽得擂鼓吶喊，毛玠、于禁二人慌忙飛報曹操，操傳令曰：「彼軍大膽忽至，必有埋伏，切不可輕動，可撥水軍弓弩亂箭射之。」又差人往旱寨內喚張遼、徐晃各帶弓弩軍三千，火速到江邊助射。比及號令到來，毛玠、于禁怕南軍搶入水寨，已差弓弩手在寨前放箭。少頃，旱寨內弓弩手亦到，約一萬餘人，盡皆向江中放箭，箭如雨發。孔明教把船弔㉕回頭東尾西，逼近水寨受箭，一面擂鼓吶喊。頃之，孔明令收船急回，二十隻船兩邊束草上，排滿箭枝。孔明令各船上軍士齊聲叫曰：「謝丞相箭㉖！」比及㉗曹軍寨內報知曹操時，這裡船輕水急，已放回二十餘里，追之不及。曹操懊悔不已。

卻說孔明回船，謂魯肅曰：「每船上箭約五六千矣，不費江東半分之力，已得十萬餘箭，明日，即將㉘來射曹軍。」魯肅拜服。

船到岸時，周瑜已差五百軍在江邊等候搬箭，孔明教於船上取之，可得十萬餘枝，都搬入中軍帳㉙交納。魯肅入見周瑜，備㉚說孔明取箭之事，瑜大驚，慨然歎曰：「孔明神機妙算，吾不如也。」

【注釋】

⑴以代蔡、張二人之職—蔡瑁、張允二人，本荊州水軍將領，曹軍南下時投降曹操。後來曹軍與東吳周瑜之軍隊對峙於三江口，曹操令蔡、張二人訓練水軍，並派蔣幹過江遊說周瑜，周瑜乃利用蔣幹作反間計，使曹操殺死蔡、張，以毛玠、于禁代二人之職。詳情見三國演義四十五回。玠，音ㄐㄧㄝˋ，瑁，音ㄇㄠˋ。

⑵細作—間諜。

⑶江東—即江南，指長江下游，東吳孫權所據之地。

⑷勦—亦作「剿」，音ㄐㄧㄠˇ，消滅。

⑸魯肅—字子敬，東吳人，性情正直，有壯節，周瑜推薦給孫權，頗受重視。曾輔佐周瑜破曹兵於赤壁。

⑹都督—指周瑜。曹軍南下，孫權以周瑜爲大都督，統領各路兵馬，對抗曹軍。

⑺挑—音ㄊㄧㄠˇ，試探。

⑻逕—直接。

⑼措辦—籌辦。

⑽公瑾—周瑜字。

⑾諕—音ㄒㄧㄚˋ，同「嚇」字。

⑿好歹—總會。
⒀半晌—一會兒。晌，音ㄕㄤˇ。
⒁幸—希望。
⒂見委—即委派，「見」爲詞頭，無義。
⒃軍令狀—以書面具結保證，倘有違背命令，或延誤軍機，願受軍令處罪的保證書。
⒄軍政司—掌軍中文書政令的部門，這裡指軍政司的人員。
⒅脅—身軀兩側，自腋下至肋骨盡頭處。
⒆虛實—眞實情況。
⒇隱諱—隱瞞。
(21)幔—帳幕。
(22)翎毛—鳥羽，可作箭尾。翎，音ㄌㄧㄥˊ。
(23)水寨—水軍營寨。寨，音ㄓㄞˋ，營壘。
(24)擂鼓—擊鼓。
(25)弔—掉轉。
(26)謝丞相箭—曹操爲漢朝丞相，曹軍射箭，孔明得到許多箭，所以說感謝丞相送的箭。
(27)比及—等到。比，音ㄅㄧˋ。
(28)將—取。

(29)中軍帳—古代軍制分上、中、下三軍。上軍、下軍作輔翼，中軍爲主力。行軍時，主帥所住的營帳，叫中軍帳。

(30)備—詳盡。

【結構】

請依提示，簡要說明三人在各事件的言行及心情或心理：

	「玠」「禁」之事	帳下議事	借箭之前	借箭之後
一、言行—				
周瑜				
孔明				
魯肅				
二、心情或心理—				
周瑜				
孔明				
魯肅				

【討論】

1. 孔明爲絕代奇才，而周瑜亦吳國一代名將，但周瑜曾有「既生瑜，何生亮」之嘆，爲什麼呢？請從本文的實例中找出一個來說明。

2. 魯肅兩次奉命試探孔明的識見，孔明叮嚀他，勿向周瑜言明眞相，魯肅也已應諾，可是第一次他卻實說了，第二次則又不說，這樣做是否有失其忠厚老實呢？如果你是魯肅，說或不說呢？

一六　美猴王

吳承恩

【作者】

西遊記是我國神話小說的代表作，最早相傳爲元初邱處機眞人所作。但是到了清康熙年間，吳玉搢認爲是吳承恩所撰；可是仍然懷疑是演邱書而成，就像羅貫中演陳壽三國志作三國演義一樣。乾隆末，錢大昕得到「邱眞人西遊記二卷」，始知該書係邱奉元太祖之命西行，記西域道里風俗，跟小說西遊記無關。道光、咸豐年間，丁晏、阮葵生等，又根據淮安府康熙舊志藝文書目的記載，確定小說西遊記爲吳承恩所作；遂成定論。

吳承恩，字汝忠，號射陽山人，明淮南府山陽縣（今江蘇淮安）人，約生於弘治十三年（西元一五〇〇年），卒於萬曆十年（西元一五八二年）左右。

吳承恩的曾祖和祖父兩代相繼爲學官，父親卻是以賣花線、花邊爲業的小商人，但他是一個喜歡讀書的人，不論天候如何，常一卷在手，自六經諸子百家莫不瀏覽。吳承恩年少即有文才，名聞於淮。天啓淮安府志說他「性敏而多慧，博極群書，爲詩文下筆立成，清雅流麗，有秦少游之風。復善諧謔，所著雜記數種，名震一時。」但他在科舉上卻很失意，甚至何時考取秀才也無從查考，僅知他四十五歲才考上「歲貢生」，以後又參加過兩次「鄉試」，也未能考取。嘉靖四十五年（西元一五六六年），吳承恩已經六十多歲了，才以貢生資格出任長興（浙江長興）縣丞。但到任後不久，與上司相處得並不好，做了七年，以折腰爲恥，遂拂袖而歸。回家後，「益以詩文自娛」，又過了十餘年才過世。他因家貧無子，遺稿多散佚，邱正綱爲其收拾殘缺，編刻成射陽存稿四卷（又續稿一卷）。吳玉搢盡收其詩於山陽耆舊集中。

【題解】

吳承恩從小就喜歡讀神怪小說，也喜歡寫神怪小說。西遊記大概是他晚年寫成的。他懷才不遇，窮困潦倒，故小記中留有一些玩世嫉俗、諷事罵人、牢騷滿腹的影子。

西遊記共一百回，記唐僧、孫悟空、豬八戒、沙僧師徒往西天取經的故事。當然，這個故事並非憑空而來的，是作者取材於宋刊大唐三藏取經詩話、元末吳昌齡西遊記雜劇、明中葉楊志和四十一回本西遊記傳，及其他小說、筆記、雜錄等材料，然後加以創作而成。全書約可分成三部份：一至七回爲孫悟空傳，從誕生、訪師學道、下東海、入地獄，而鬧天宮、偷蟠桃、敗天兵神將。這是一般人最喜歡讀的一段。八至十二回，寫玄奘出世，魏徵斬龍，唐太宗入冥，與玄奘奉詔西行取經的故事。這段吸收最多民間的傳說。從十三回至一百回結束，寫玄奘等往返西天凡遇九九八十一次魔難，終於成正果，回到長安城的故事。這些魔難象徵著奮鬥意志與進取精神，也是西遊記所要表達的主題之一。值得一提的是，作者賦性詼諧，每當描寫恐怖場面時，常雜以滑稽，化緊張爲輕鬆，變神妖爲人性。而這諧言謔語之中，即暗含作者諷世罵人、懷才不遇的牢騷，順手拈來，若不經意，卻極富情味。此乃西遊記不同於其他一般專寫神魔小說之處。

本篇是從第一回「靈根育孕源流出，心性修持大道生」之中所節選。乃敘述孫悟空出生和爲王的經過。行文活潑生動，取材兼具神話與自然色彩，尤其是發現水簾洞那段，彷彿找到人間仙境一般，極具可讀性。

【本文】

盤古開闢(1)，三皇治世，五帝定倫(2)，世界之間，遂分爲四大部洲(3)……東勝神洲。海外有一國土，名曰傲來國。國近大海，海中有一座名山，喚爲花果山。……那座山，正當頂上，有一塊仙石。其石有三丈六尺五寸高，有二丈四尺圍圓。……自開闢以來，每受天眞地秀，日精月華(4)，感之既久，遂有靈通(5)之意。內育仙胞，一日迸裂(6)，產一石卵，似圓毬樣大。因見風，化作一個石猴，五官俱備，四肢皆全。……

那猴在山中，卻會行走跳躍，食草木，飲澗泉，採山花，覓樹果；與狼蟲爲伴，虎豹爲群，獐鹿爲友，獼猿爲親；夜宿石崖之下，朝遊峰洞之中。眞是「山中無甲子，寒盡不知年。」(7)一朝天氣炎熱，與群猴避暑，都在松陰之下頑耍。……一群猴子耍了一會，卻去那山澗中洗澡。見那股澗水奔流，眞個似滾瓜湧濺(8)。古云：「禽有禽言，獸有獸語。」衆猴都道：「這股水不知是那裡的水。我們今日趁閑無事，順澗邊往上溜頭⑼尋看源流，耍子去耶！」喊一聲，都拖男挈女⑽，呼弟呼兄，一齊跑來，順澗爬山，直至源流之處，乃是一股瀑布飛泉。但見那：

一派白虹⑾起，千尋⑿雪浪飛；海風吹不斷，江月照還依。
冷氣分青嶂⒀，餘流潤翠微⒁；潺湲⒂名瀑布，眞似掛簾帷⒃。

衆猴拍手稱揚道：「好水！好水！原來此處遠通山腳之下，直接大海之波。」又道：「那一個有本事的，鑽進去尋個源頭出來，不傷身體者，我等即拜他爲王。」連呼了三聲，忽見叢雜中⒄跳出一個石猴，應聲高叫道：「我進去！我進去！」……

好猴！你看他瞑目蹲身，將身一縱，徑⒅跳入瀑布泉中，忽睁睛抬頭觀看，那裡邊卻無水無波，明明朗朗⒆的一架橋梁。他住了身，定了神，仔細再看，原來是座鐵板橋。橋下之水，沖貫於石竅⒇之間，倒掛流出去，遮閉了橋門。卻又欠身(21)上橋頭，再走再看，卻似有人家住處一般，眞個好所在。……看罷多時，跳過橋中間，左右觀看，只見正當中有一石碣(22)。碣上有一行楷書大字：鐫(23)著「花果山福地，水簾洞洞天。」(24)石猿喜不自勝，急抽身往外便走，復瞑目蹲身，跳出水外，打了兩個呵呵道：「大造化！大造化！」眾猴把他圍住，問道：「裡面怎麼樣？水有多深？」石猴道：「沒水！沒水！原來是一座鐵板橋。橋那邊是一座天造地設的家當(25)。」眾猴道：「怎見得是個家當？」石猴笑道：「這股水乃是橋下沖貫石橋，倒掛下來遮閉門戶的。橋邊有花有樹，乃是一座石房。房內有石窩、石竈、石碗、石盆、石床、石凳。中間一塊石碣上，鐫著「花果山福地，水簾洞洞天。」眞個是我們安身之處。裡面且是寬闊，容得千百口老小。我們都進去住也，省得受老天之氣(26)。」……

眾猴聽得，個個歡喜，都道：「你還是先走，帶我們進去，進去！」石猴卻又瞑目蹲身，往裡一跳；叫道：「都隨我進來！進來！」那些猴有膽大的，都跳進去了，膽小的，一個個伸頭縮頸，抓耳撓腮(27)，大聲叫喊，纏一會，也都進去了。跳過橋頭，一個個搶盆奪碗，占竈爭床，搬過來，移過去，正是猴性頑劣，再無一個寧時(28)，只搬得力倦神疲方止。石猿端坐上面道：「列位呵，『人而無信，不知其可(29)。』你們纔說有本事進得來，出得去，不傷身體者，就拜他爲王。我如今進來又出去，出去又進來，尋了這一個洞天與列位安眠穩睡，各享成家之福，何不拜我爲王？」衆猴聽說，即拱伏無違(30)。一個個序齒(31)排班，朝上禮拜，都稱「千歲大王」(32)。自此，石猴高登王位，將「石」字兒隱了，遂稱美猴王。

【注釋】

(1)開闢—開天闢地。
(2)倫—倫理秩序。
(3)四大部洲—依據佛經記載，謂須彌山四面海中有四大部洲：東勝神洲、南贍部洲、西牛貨洲、北拘盧洲。
(4)天眞地秀，日精月華—指天地日月的精華靈氣。
(5)靈通—靈應相通。
(6)迸裂—破裂後向四處散開。迸，音ㄅㄥˋ。
(7)山中無甲子，寒盡不知年—山中生活，沒法分年月，也不知時間過去，形容生活自在逍遙。舊曆的年、月、日、時，都是用十個天干和十二個地支相配而成，共六十個「甲子」來記錄。

(8)滾瓜湧濺—形容澗水奔流翻騰的樣子。
(9)往上溜頭—朝水源頭兒上去。頭，是方位詞詞尾。
(10)拖男挈女—帶領男女。挈，率領，音ㄑㄧㄝˋ。
(11)一派白虹—比喻一股瀑布泉流。派，是量詞。
(12)千尋—形詞瀑布很高。尋，古代長度單位，爲八尺。
(13)冷氣分青嶂—森寒的氣流被青翠的山峰所分開。嶂，似屏障的山峰。
(14)翠微—輕淡青蔥的山色。
(15)潺湲—水流的樣子。
(16)簾帷—簾幕。簾，是用竹絲編成遮蔽門窗的用品。帷，是分隔內外用的帳子。
(17)叢雜中—指在雜亂的猴群當中。
(18)徑—同逕，直接。
(19)明明朗朗—清楚、分明的意思。
(20)石竅—石頭縫。竅，孔穴。
(21)欠身—彎腰。
(22)石碣—刻有文字的圓形石碑。
(23)鐫—雕刻，音ㄐㄩㄢ。
(24)福地、洞天—道家謂神仙多在名山洞府中，有十大洞天，三十六小洞天，七十二福地之稱。福地，指安樂的地方。

(25)天造地設的家當—自然形成而不是由人力所造設的家產。
(26)省得受老天之氣—這是說住在洞裡，免得颳風下雨、打雷降雪時無處躲藏。
(27)伸頭縮頸，抓耳撓腮—描述猴子的動作表情。把頭伸長，縮著脖子，抓抓耳朵，摸摸面頰等。
(28)再無一個寧時—沒有一刻安靜下來。
(29)人而無信，不知其可—語出論語爲政篇。是說：如果一個人說話不守信用，不知他要如何立身處世。
(30)拱伏無違—合手作揖（表示佩服）不敢違背。
(31)序齒—按照年齡大小順序。
(32)千歲大王—在舊小說和戲劇中，多稱王侯爲「千歲」。這裡石猴既已稱王，故衆猴尊他爲「千歲大王」。

【討論】

一、西遊記故事的來源有那些？這個故事約可分爲幾部份？試簡述之。
二、從「美猴王」中，能否發現成爲領袖人物所需具備的特質？
三、試解析描寫水簾洞的那首詩。
四、你認爲本課中寫得最精采的是那個地方？爲什麼？

一七　追悼志摩

胡　適

【作者】

胡適，字適之，乳名嗣穈，學名洪騂，安徽省績溪縣龍井鄉上莊人。

清德宗光緒十七年（西元一八九一年），十二月十一日生於上海大東門外。

光緒十九年（西元一八九三年），三歲，父親胡守珊任江蘇省垣中路保甲總巡。父親調職臺灣，全家由上海遷居臺灣。

光緒廿一年（西元一八九五年），五歲，隨母回鄉。七月父親病逝廈門。

宣統帝宣統二年（西元一九一〇年），二十歲，考取清華官費第二批留美學生，改用「胡適」名字，入「康耐兒大學」習農，後改讀文科。

民國三年（西元一九一四年），廿四歲，獲「康耐兒大學」文學士學位。

民國四年（西元一九一五年），廿五歲，進「哥倫比亞大學」哲學系修博士學位，系主任爲杜威博士。

「美東中國學生會」成立「文學科學研究部」，胡適任「文學股」委員，與趙元任寫文章，認爲中國文字可以採用音標拼音。又與任叔永、梅啓迪、楊杏佛、唐擘黃等人討論中國文學、文字，認爲白話文是活文字，古文是半死的文字。一場大筆戰後，把他逼上作白話詩的路上去。

民國六年（西元一九一七年），廿七歲，一月在陳獨秀主編的「新青年」發表文學改良芻議，說明八項主張，正式樹起「文學革命」的旗幟。獲「哥倫比亞大學」哲學博士學位，七月返國，任「北京大學」教授，校長爲蔡元培。

民國七年（西元一九一八年），廿八歲，四月在「新青年」發表建設的文學革命論，爲「新文學」立下明確的指標。

民國八年（西元一九一九年），廿九歲，八月出版「嘗試集」。

民國十七年（西元一九二八年），卅八歲，任「中國公學」校長兼文理學院院長。

民國十九年（西元一九三〇年），四十歲，任「北京大學」文學院院長。

民國廿四年（西元一九三五年），四五歲，當選「中央研究院」第一屆評議員。

民國廿七年（西元一九三八年），四八歲，任駐美大使四年。

民國卅四年（西元一九四五年），五五歲，任「北京大學」校長。

民國卅五年（西元一九四六年），五六歲，當選「國民大會」代表。

民國卅八年（西元一九四九年），五九歲，五月赴美講學。

民國四七年（西元一九五八年），六八歲，回臺灣，任「中央研究院」院長。

民國五一年（西元一九六二年），七二歲，二月二十五日因心臟病逝於院長任內。

胡適之博士倡導「文學革命」，鼓吹「白話文」，率先從事創作，出版我國第一本新詩集「嘗試集」，並撰寫白話文學史（只完成上卷），肯定我國歷代都有「白話文學」出現，而且在當代占有重要地位，這是他對「新文學」的主要貢獻。另外，他著有中國文學史（只出版上卷）及胡適文存，都頗負盛名。

【題解】

徐志摩最服膺的一個人是胡適，胡適也最愛護他。志摩於民國二十年十一月十九日，從南京乘飛機到北平，中途過山東省黨家莊，飛機觸山岩，焚燬遇難。胡適因悼念他，抒發情感而寫成「追悼志摩」。本課雖是抒寫情懷，但寄託在敘事之中，具體地描寫徐志摩這個人，以最眞摯的感情赤裸裸地表達出來，令人陷入哀慟的情緒並認識志摩的性格與人生觀。

【本文】

悄悄的我走了，
　正如我悄悄的來，
我揮一揮衣袖，
　不帶走一片雲彩。

志摩這一回眞走了！可不是悄悄的走。在那淋漓的大雨裡，在那迷濛的大霧裡，一個猛烈的大震動，三百匹馬力的飛機碰在一座終古不動的山上，我們的朋友額上受了一下致命的撞傷，大概立刻失去了知覺。半空中起了一團大火，像天上隕了一顆大星似的直掉下地去，我們的志摩和他的兩個同伴就死在那烈燄裡了！

我們初得著他的死信，都不肯相信，都不信志摩這樣一個可愛的人，會死的那麼殘酷。但在那幾天的精神大震撼稍稍過去之後，我們忍不住要想，那樣的死法也許只有志摩最配。我們不相信志摩會「悄悄的走了」，也不忍想志摩死一個「平凡的死」，死在天空之中，大雨淋著，大火焚著，那撞不倒的山頭在旁邊冷眼瞧著。我們新時代的新詩人，就是要自己挑一種死法，也挑不出更合式，更悲壯的。

志摩走了。我們這個世界裡被帶走不少的雲彩。他在我這些朋友之中，眞是一片最可愛的雲彩。永遠是溫暖的顏色，永遠是美的花樣，永遠是可愛。他常說：

我不知道風
是在那一方向吹——

我們也不知風是那一方向吹，可是狂風過去之後，我們天空變寂寞了，我們才感覺我們天上的一片最可愛的雲彩被狂風捲去了，永遠不回來了！

這十幾天裡，常有朋友到家裡來，談起來常常有人痛哭。在別處痛哭他的，一定還不少。志摩所以能使朋友這樣哀念他，只因爲他爲人整個的只是一團同情心，只是一團愛。葉公超⑴先生說：

他對於任何人，任何事，從未有過絕對的怨恨，甚至於無意中沒有表示過一些憎嫉的神氣。

陳通伯說：

尤其朋友裡缺不了他。也是我們的連索，他是黏著性的發酵性的，在這七八年中，國內文藝界起了不少風波，吵了不少，許多很熟的朋友往往弄得不能見面。但我沒有聽見有人怨恨過志摩，誰也不能抵抗志摩的同情心，誰也不能避開他的黏著性。他才是和事的，無窮的同情，在我們老友，他總是朋友中間的「連索」。他從沒有疑心，他從不會妬忌。他使這些多疑善妬的人們十分慚愧，又十分羨慕。

他的一生是愛的象徵，愛是他的宗教，他的上帝。

我攀登了萬仞的高岡，
荊棘扎爛了我的衣裳，

我向飄渺的雲天外望！——
上帝，我望不見你——

我在道旁見一個小孩，
活潑，秀麗，襤褸的衣衫，
他叫聲「媽，」眼裡亮著愛——
——上帝，他眼裡有你——

志摩今年在他的猛虎集自序裡曾說他的心境是：「一個曾經有單純信仰的流入懷疑的頹廢。」這句話是他最好的自述，他的人生觀眞是一種「單純信仰」，這裡面只有三大字，一個是愛，一個是自由，一個是美。他夢想這三個理想的條件能夠會合在一個人生裡，這是他的單純信仰。他的一生的歷史，只是他追求這個「單純信仰」，的實現的歷史。

社會上對於他的行爲，往往有不能諒解的地方，都只因爲社會上批評他的人不曾懂得志摩的「單純信仰」的人生觀。他的離婚和第二次結婚，是他一生最受社會嚴厲批評的兩件事。現在志摩的棺已蓋了，而社會上的議論還未定。但我們知道這兩件事的人，都能明白，至少在志摩的方面，這兩件事最可以代表志摩的單純理想的追求。他萬分誠懇的相信那兩件事都是他實現那「美與自由」的人生的正當步驟。這兩件事的結果，在別人看來，似乎都不曾能夠實現志摩的理想生活。但到了今日，我們還忍用成敗來議論他嗎？

我忍不住我的歷史癖，今天我要引用一點神聖的歷史材料，來說明志摩決心離婚時的心理。民國十一年三月，他正式向他的夫人提議離婚，他告訴她，他們不應該繼續他們的沒有愛情沒有自由的結婚生活了，他提出「自由之償還自由」，他認爲這是，「彼此重見生命之曙光，不世之榮業」，他說：

故轉夜爲日，轉地獄爲天堂，直指顧間事矣。眞生命必自奮鬥自求得來，眞幸福亦必自奮鬥自求得來，眞戀愛亦必自奮鬥自求得來！彼此前途無限，……彼此有改良社會之心，彼此有造福人類之心，其先自榜樣，勇決智斷，彼此尊重人格，自由離婚。止絕苦痛，始兆幸福，皆在此矣。

這信裡完全是青年的志摩的單純的理想主義，他覺得那沒有愛，又沒有自由的家庭是可以摧毀他們的人格的，所以他下了決心，要自由償還自由，要得自由求得他們的眞生命，眞幸福，眞戀愛。

後來他回國了，婚是離了，而家庭和社會不能諒解，最奇怪的是他和他已離婚的夫人通信更勤，感情更好，社會上的人更不明白。志摩是梁任公⑵先生最愛護的學生。所以民國十二年，任公先生曾寫一封很長很懇切的信去勸他，在這裡，任公提出兩點：

其一、萬不容以他人之苦痛，易自己之快樂。弟之此舉其於弟將來之快樂能得與否，始茫如捕風，然先已予多數人以無量之苦痛。

其二、戀愛神聖爲今之少年所樂道。……茲事蓋可遇而不可求。……況多情多感之人，其幻想起落鶻突⑶，而得滿足得寧帖也極難。所夢想之神聖境界恐終不可得，徒以煩惱終其身耳。

任公又說：

嗚呼！志摩！天下豈有圓滿之宇宙？當知吾儕⑷以不求圓滿爲生活態度，斯可領略生活之妙味矣。……若沉迷於不可必得之夢境，挫折數次，生意盡矣。鬱悒佗傺⑸以死，死爲無名。死猶可也，最可畏者，不死不生而墮落至不復能自拔。嗚呼志摩！可無懼耶！可

無懼耶！（十二年一月二日信）

任公一眼看透志摩的行爲是追求一種「夢想的神聖境界」，他料到他必要失望，又怕他少年受不起幾次挫折，就會死，就會墮落。所以他以老師的資格警告他：「天下豈有圓滿之宇宙？」

但這種反理想主義是志摩所不能承認的。他答覆任公的信，第一，不承認他是把他人的苦痛來換自己的快樂。他說：「我之甘冒世之不韙(6)，竭全力以鬥者，非特求免凶慘之苦痛，實求良心之安頓，求人格之確立，求靈魂之救度耳。

人誰不求庸德？人誰不安現成？人誰不畏艱險？然且有突圍而出者，夫豈得已而然哉？」

第二、他也認戀愛是可遇而不可求的，但他不能不去追求。他說：

「我將於茫茫人海中訪我唯一靈魂之伴侶；得之，我幸，不得，我命，如此而已。」

他又相信他的理想是可以創造培養出來的。他對任公說：

嗟夫吾師！我嘗奮我靈魂之精髓，以凝成一理想之明珠，涵之以熱，滿之心血，朗照我深奧之靈府。而庸俗之嫉之，輒欲麻木其靈魂，搗碎其理想，污毀其純潔！我之不流入墮落，流入庸懦，流入卑污，其幾亦微矣！

我今天發表這三封不曾發表過的信，因是這封信最能表現那個單純的理想主義者徐志摩。他深信理想的人生必須有愛，必須有美，必須有自由，他深信這種三位一體的人生是可以追求的，至少是可以用純潔的心血培養出來的。我們若從這個觀點來觀察志摩的一生，他這十年中的一切行爲就全可以了解了。我還可以說，只有從這個觀點上才可以了解志摩的行爲；我們必須先認清了他的單純信仰的人生觀，方才認得清志摩的爲人。

志摩最近幾年的生活，他承認是失敗，他有一首「生活」的詩，詩暗慘的可怕。

陰沉，黑暗，蛇毒似的蜿蜒(7)，
生活逼成了一條甬道：
一度陷入，你祇可向前，
手捫索著冷壁的黏潮，
在妖魔的臟腑內掙扎，
頭頂不見一線的天光，
這魂魄，在恐怖的壓迫下，

除了消滅更有什麼願望。

他的失敗是一個單純的理想主義者的失敗。他的追求，使我們慚愧，因爲我們的信心太小，從不敢夢想他的夢想，他的失敗，也應該使我們對他表示更深厚的恭敬與同情，因爲偌大的世界之中，只有他有信心，冒了絕大的危險，費了無數的麻煩，犧牲了一切常凡的安逸，犧牲了家庭的親誼和人間的名譽，去追求，去試驗一個「夢想之神聖境界」而終于免不了慘酷的失敗，也不完全是他的人生觀的失敗。是因爲他的信仰太單純了，而這個現實世界太複雜了，他的單純的信仰禁不起這個現實世界的摧毀。正如易卜生(8)的詩劇Brand裡的那個理想主義者，抱著他的理想，在人間處處碰釘子，碰得焦頭爛額，失敗而死。

然我們的志摩「在這個恐怖的壓迫下」從不叫一聲「我投降了。」他從不曾完全絕望，他從不曾絕對怨恨誰，他對我們說：

你們不能更多的責備，我覺得我已滿頭的血水，能不低頭已算是好的。（猛虎集自序）是的，他不曾低頭。他仍舊昂起頭來做人，他仍舊是他那一團的同情心，一團的愛。我們看他替朋友做事，替團體做事，他總是仍舊那樣高興。幾年的挫折、失敗、苦痛，似乎使他更成熟，更可愛了。

他在苦痛之中，仍舊繼續他的歌唱。他的詩作風也更成熟了。他所謂「初期的洶湧性」固然是沒有了，作品也減少了；但是他的意境變深厚了，筆致變淡遠了，技術和風格都更進步了。這是讀猛虎集的人都能感到的。

志摩自己希望今年是他「一個眞的復活的機會。」他說：

抬起頭居然又見到天了。眼睛睜開了，心也跟著開始了跳動。

我們一班朋友都替他高興。他這幾年來想用心血澆灌的花樹也許是枯萎的了，但他的同情，他的鼓舞，早又在別的園地裡種出了無數的可愛的小樹，開出了無數可愛的鮮花。他自己的歌唱有一個時期是幾乎消沉了；但他的歌聲引起了他的園地外無數的歌喉，嘹亮的唱，哀怨的唱，美麗的唱，這都是他的安慰，都使他高興。

誰也想不到在這個最有希望的復活時代，他竟丟了我們走了！他的猛虎集裡有一首詠一隻黃鸝的詩，現在重讀了好像他在那裡描寫他自己的死，和我們對他的死的悲哀！

等候他唱，我們靜著望，
怕驚了他。

但他一展翅。

衝破濃密，化一朵彩霧，

飛來了，不見了，沒了——

像是春光，火焰，像是熱情。

志摩這樣一個可愛的人，眞是一片春光，一團火焰，一腔熱情。現在難道都完了？

決不——決不——志摩最愛他自己的一首小詩題目叫「偶然」，在他的卞崗劇本裡，在

那個可愛的孩子阿明臨死時，那個瞎子彈著三弦，唱著這首詩：

我是天空裡的一片雲，

偶爾投影在你的波心——

你不必訝異，

更無須歡喜

在轉瞬間消滅了踪影。

你我相逢在黑夜的海上，

你有你的，我有我的方向，

你記得也好

最好你忘掉，

在這交會時互放的光亮！

朋友們，志摩是走了，但他投的影子會永遠留在我們心裡，他放的光亮也會永遠留在人間，他不白來了一世，我們有了他做朋友，也可以安慰自己說不曾白來了一世，我們忘不了，和我們

「在那交會時互放的光亮！」

【注釋】

(1)葉公超—生於清光緒三十年，卒於民國七十一年（西元一九〇四—一九八二），年七十九。先後任教北京大學、暨南大學、清華大學及西南聯大，主講英國文學。後來從政，曾任外交部長及駐美大使。

(2)梁任公—指梁啓超先生，是徐志摩的老師。

(3)鶻突—不曉事之意。

(4)儕—同輩。音ㄔㄞˊ。

(5)侘傺—失意的樣子。音ㄊㄨㄛ　ㄔˋ。

(6)韙—是。音ㄨㄟˇ。

(7)蜿蜒—屈曲的形狀。

(8)易卜生—（Hennik Ibsen, 1828-1906），挪威人，寫實派的大文學家，其作品多爲揭露黑幕罪惡。

【結構】

本課是抒情文。作者除了描寫死別的感傷外，大部分是記敘徐志摩生前令人印象鮮明的二三事及引用他的作品，來說明他的情性及爲人。請同學將本課主要觀點列於後：

1. 徐志摩的單純信仰有三個大字—
2. 梁任公信中所提的要點—
3. 徐志摩答覆任公的信有兩點—

【討論】

一、徐志摩的離婚和第二次結婚，爲何是最可以代表志摩的單純理想的追求？他的婚姻觀爲何？

二、梁任公爲何以「天下豈有圓滿之宇宙」警告徐志摩？

三、我們以何觀點來觀察志摩的一生，對他的一切行爲就全可以了解？

一八　蚯蚓們

臺靜農

【作者】

臺靜農，字伯簡，晚號靜者，安徽省霍丘縣人。生於清光緒二十八年（西元一九〇二年），卒於民國七十九年（西元一九九〇年），享壽八十九。

民國十三年北大研究所國學門研究，民國十四年（西元一九二五年），二十四歲，在北平，與魯迅等人組織文學社團「未名社」，專門出版文藝叢書。民國二十五年，任教於山東大學及齊魯大學。抗戰期間，在四川先後任職於國立編譯館、國立女子師範學院。卅五年秋，應臺灣大學之聘，到臺大中文系任教。卅七年，接掌系主任，培育人才，長達二十年。民國六十二年，七十二歲，自臺大榮退。

臺靜農先生於古典詩歌、新詩、散文、小說之創作，皆有可觀；除了寫作之外，書畫也別具風格，曾在臺北舉行畫展，頗獲好評。著作有短篇小說集《地之子》、小說集《建塔者》、散文集《龍坡雜文》、《關於魯迅及其著作》、《靜農論文集》、《臺靜農詩集》、《臺靜農行草小集》、《臺靜農書藝集》等等。

【題解】

中國以農立國，數千年來，支撐這個偉大國家的最大而最穩固的力量，一直是勤奮的農民，但這些農民卻也一直過著酸辛悽楚的歲月，數千年之間，並無多大改變，有時碰上荒年或亂世，甚至活活餓死。本篇就是描寫一個貧窮農夫小李，日子過不下去，只好賣妻賣子的悲慘故事。

【本文】

虹霓縣的人民，今年真不幸，十來年沒有遇見的荒年，他們竟碰著了。其實有錢的田主，早已知道了虹霓縣的人民免不了要遭大劫的。呂洞賓⑴不是在這些有錢的家裡下壇說過麼？下界的窮人，心術太壞，一天狡猾似一天，凶惡之氣已沖到九霄，早遲有一天玉皇大帝一怒，降下一道御旨，教這些壞人一個個都死亡滅絕，這些有錢的早就替天行道，將這預兆告訴大家了，無奈大家不改，終於免不了這一場大劫。

前幾天稻草灣的窮人，闖下了大禍，他們真膽大，居然聯合起來，一起向喫租的田主們訂借貸，逼得田主們當面非承認不可，有的允許給錢，有的允許開倉給米。但是田主們連夜派人進縣，遞了稟帖⑵，告了稻草灣「民變」，頓時上頭派下來了兵，將這些大膽的人一個個不提防的被捆走了。聽說省裡公事一到，這些人都要割頭的。這些人眞傻，錢沒到手，米也沒到嘴，二斤半還保不住。

這麼以來，別處窮人的囂張，確是好多了。就拿我們的住處五家村來說，沒有人敢向田主人胡鬧的，像張三炮吳二拐黃鼠狼這些傢伙，在太平年歲的時侯，田主人都覺得他難纏的，可是現在他們反老實了。很奇怪，李小平常很老實，這時候偏膽大起來，他居然跑到他主人那裡去，向他的主人討借貸；幸而他的主人待人厚道，僅僅向李小罵了幾句：「你這個東西，還不知厲害；要曉得我一個稟帖送了，你這條命就沒有啦！」李小聽了以後，不禁有些怕了，終於啞口無言帶著感激的神情跑回來了。

天要叫虹霓縣的人民遭一場大劫，誰也沒有法子挽救。就是有錢的田主們，天天在埋怨：窮人們不修好，累得他們的倉裡少收成。

到這當兒，大家都不得已，各人想各人的法子，自然是往別處逃荒的多。李小於是免不了走這一條路，但沒想到，他的老婆竟不願去。分明是缺了喫的，他的老婆偏說他有錢拿不出來，有時還罵他沒有本事，連老婆也養不活了。鬧得三番五次，終於依了他的表舅母的調停，讓伊改嫁。在他本不願意，不過這年頭，實在沒有辦法，而且改嫁又是出於伊的意思，表舅母知道他心裡難過，一再勸他，心放寬些，年頭變好，弄點錢還可娶一個。終於，他想到這大概是命裡定的，也只得順從了。

成事就在第二天。

在頭一天的晚間，他約了范五明天一同去，幫他將錢拿回來。

在月光之下，他獨自回到家。這時候，他的四歲的小孩，正孤獨地在柳下站著，見他回來，很快的跑到他的面前，高興地問。

「爸爸，明天你也去嗎？」

「什麼事，你知道？」他冷然的說。

「不是媽媽說，明天帶我走人家麼？」

「是的，」他的神情頓時慘沮。「你睡去吧！」

他的孩子聽了，跳著走了。

他坐在柳樹根下，嘴裡啣著旱煙袋，煙頭閃灼的發光。他看今年八月十二日的月光，特別明亮，好像十五六似的。但是今年中秋節，卻是冷清清的；要是年頭好，大家都忙著結賬送禮。他想到去年的這時候，他正忙著碾穀子，那時碾了兩斗米，往鎮上賣了，買了牛肉豬肉，月餅，還給小孩縫了一件夾衣，大家都痛快地過著中秋節。小孩剛會學話，老是「月姥姥」地唱著，半夜才睡。誰也沒有想到，今年是這樣的結局。他口中噴出清煙，映著月光，更顯黯淡。他回過頭來，對著面前一大堆枯萎稻草瞧著，他的眼中閃閃地發光，不由地他對這稻草仇恨憤怒，因爲這稻草給他帶來了極不幸的命運；他向來沒有仇敵，然而這枯萎的稻草，竟成了他的仇敵了。

現在是作噩夢罷？他這樣想，要不是夢，爲什麼是這樣離奇呢？眼看妻子小孩，馬上要遺棄他，要離開他，要向一個陌生的人歡笑去。他的目光昏瞶⑶了，他看見他的茅屋，他所插的柳樹，與那凶惡的稻草堆，都一起向他輕藐地笑，好像它們都在同聲地說：「天下竟有這樣卑怯無用的男子！」

他站起來狂放地在稻草上走來走去，心中越紛亂，腳步越急促，安然臥在一旁的小黑狗，這時候也被他的腳步聲驚醒了。這狗居然向他汪汪在叫起來，於是使他更忿怒了。惡運來了，一切都改變了，狗也不認主人了。他舉起了腳，喫力地向狗踢去，狗受了傷，頓時更凶橫地叫起來。

他仍舊坐在地上，微微嘆息，將煙袋頭向著樹根磕灰；重行裝上煙，燃了火不停止地吸。他的滿腔忿恨，漸漸隨著青煙消逝，心情也漸漸隨著平靜了。他認識了命運，命運的責罰，不在死後，卻在人世；不在有錢的田主身上，卻在最忠實的窮人。最苦楚的，命運不似豺狼，可以即刻將你呑噬下去，而命運卻像毒蛇，牠纏著你慢慢喝你的血！現在這命運忽然降臨在他的身上，他不反抗，他知道，反抗是毫無用的。他預備了忍受、忍受著，終有盡止的日子。

於是他回到他的茅屋裡。這時候他的妻子在床沿哄小孩，他便輕輕地到床裡頭和衣躺下。屋裡滿是月光，照著他妻的神情，正如平常一樣，忽然他感到一種將要永離的情味，他的心不由地淒愴下去。他想此刻可以同伊敘敘舊日情分，但是想到伊當他艱難的當兒撇了去這樣的薄情，他便冷然靜靜地嘆了一口氣。轉而想這也難怪伊，即使伊不改嫁，給伊母子什麼喫呢，難道竟教伊們喝風麼？

慚怍⑷與憂傷交攻著，使他不能安然睡去。終於似睡非睡地閉了眼，不久又驚醒了。醒後睜了眼，見月光依然明亮地照著房中一切，妻在門口迎著月光坐著，正在收拾伊平日的針線，隱隱地還聽著伊傷心的嘆息。於是他向伊問：

「爲什麼還不睡呢？」

「那有心腸睡！」伊低聲說。

他聽了，全身立刻震動了，又顫慄地向伊說：

「我眞對不起你，使你走上這條路。」

他說了，並未聽見伊的答話。少頃，他看見月光之下的伊的影子，在那裡顫動，原來伊在啜泣。於是他也忍不住哭了。

在這偉大的夜幕裡，清光照著這一雙不幸的男女。除了兩人無聲的暗泣而外，惟有小孩低微的鼾聲，美滿的微笑的面容，表現著正在幸福的夢中。

明月漸漸西沉，遠處的晨雞漸漸地叫起了。

他的不幸的晚間到了。在他的心中不僅存留著傷痛，卻重重地蒙上一層恥辱。但是他可以自慰的，就是他所以到這種地步，不是個人的意志，卻是受了命運的指使；大家一起生活在人世間，又誰能非笑命運呢？因此他很坦然。

在一間矮的樸陋的客廳裡，生客有七八位，有的坐在長凳上談家常，有的默默地吸水煙袋，最使他侷促(5)的，便是一個短胖子向主人道喜，並且嚕囌地說：聽說這位大嫂賢慧，一定會過日子，眞是你老哥的運氣……這些使他不安的話。

終於，吳官人站起來向主人說：

「那麼，將字寫了罷？」

「自然是請張朗翁。」

這時候這位張朗翁正在同一個麻臉人談他教三字經的經驗，忽然聽到有人提起他，便扭過頭來向主人問：

「還是請楊二哥寫罷？」

屋角處站起來一位紅臉大漢，笑著說：

「虧了朗翁你，何必這樣客氣，老夫子不寫誰寫？」

朗翁哈哈大笑，手摸著下巴鬍鬚，一屁股坐在預備好的座位上了。於是故意向大家問：

「請教大家，怎麼寫呢？」

「哎呀，讀書的人禮節眞周到！朗翁經多見廣，還不是那一套嗎？」吳官人說。

朗翁於是從口袋裡摸出一個眼鏡盒子，將眼鏡拿出戴上，抽出筆，鋪好了紙，轉過頭來向大家問：

「那位是本夫？」

李小聽了，木然地站起來，朗翁一雙眼睛，出神地向著他：

「貴姓哪？」

「姓李。」

「名字呢？」

「國富。」

朗翁便不理他了，他又木然地坐下。朗翁旁若無人地在紅紙上莎莎寫了兩行，又向大家問：

「說定的是多少錢？」

「四十串文正。」吳官人接著說。

「還帶來一個小孩吧，是男，是女？」朗翁又問。

「是的，一個男孩，五歲了。」

朗翁仍舊偏著頭寫下去。不久，將筆扔了，頭搖擺著唸了兩遍，站起來說：

「請大家看看，對不對？」

「朗翁又客氣起來了，那有不對之理？」吳官人說。

「好罷，我來唸給大家聽聽：立賣人字人李國富今因年歲欠收，無錢使用，情願將女人出賣於趙一貴為妻，央中說合，人價大錢四十串文正。女人過來以後，事後不得反悔。外者女人帶來小孩一口，亦由買主養活，日後不得藉此生端。恐口無憑，立此字為證。同中蔣三星陸華堂江福貴周三范五劉六甏子張朗翁代筆。……對不對？有什麼遺漏沒有？要是沒有什麼，那就教本夫畫押。」

李小聽了不作聲跑到桌子前面，拿了筆畫了一個粗大的十字。

「不成，不成！」朗翁忽然叫起來。「畫十字沒有用，這樁買賣，比不得賣田地呀！你這本夫，要打手記的。」

「什麼叫手記？」

「怎麼，你連手記也不知道，見識眞淺，手記就是將手塗上黑墨，印在這賣字上。」朗翁譏笑著說。

李小重行拿了筆，將左手塗了墨，重重地印在賣字上。

「對了，對了！」朗翁對著李小叫。頭即刻扭向大家。「我看，要是沒有什麼意見，那就可以交錢，交了錢，喫了飯，俺們還要鬧新娘子啦！」

「是了，是了。」主人一面答一面往屋後裡跑。

李小這時候孤獨地坐在一個小椅上，覺得四面的人都是向他冷笑，雖然側身在大衆裡，但是一種可怕的陰森抓住了他。在大家不留意的當兒，他聽見後面一個老女人說：現在你不跟他了，小孩子你給他養活著，還不向他要點錢，作小孩子的私房嗎？……主人將錢當面交給李小，他剛點了數，忽然他的小孩跑出來：

「爸爸，媽媽叫我問你要錢。」小孩說了，便眼巴巴地看著他，他冷然地瞧了桌上的大錢，忍著眼淚拿了一串錢放在小孩子手裡，小孩拿不動，曳(6)著走，高興地說：

「爸爸給這些錢！」

這時候同他來的范五走到桌邊，拿了布口袋，一起裹成了兩包。主人留他喫晚飯，他辭謝了，於是同范五背了錢走了。

當他同范五走出的時候，主人的門口掛著一對紅燈，已經輝煌地點起了。

走過半里路的光景，便隱隱地聽著鞭炮聲，這聲音深深地刺透他的心。

（一九二六年）

【注釋】

(1)呂洞賓—名嵒，字洞賓。號純陽子，唐京兆人，懿宗咸通間（西元八六〇年—八七四年）及第。黃巢之亂時，移家終南山，得道，人莫能識。自稱回道人，即俗傳八仙之一。

(2)稟帖—從前下對上的文件。

(3)昏瞶—昏亂不明，瞶，音ㄎㄨㄟˋ。

(4)怍—音ㄗㄨㄛˋ，慚愧。

(5)侷促—不安。

(6)曳—音一ˋ，拖。

【討論】

1.本文暴露出舊社會的何種病態？（請舉例說明）

2.作者如何運用諷刺及對比的手法刻劃人性？（請舉例說明）

一九　腳印

王鼎鈞

【作者】

王鼎鈞，民國十四年（西元一九二五年）生。出生於山東臨沂一個傳統的耕讀之家，從小就接受中國古典文學的薰陶，十四歲開始寫詩，十六歲嘗試評論「聊齋誌異」，十九歲在陝西安康日報發表第一篇作品「評紅豆村人的詩」。對日八年抗戰，他有四年多時間在日本佔領區生活，打過游擊；有三年多時間在國民政府治理的大後方生活，做流亡學生。抗戰末期他棄學從軍，經過瀋陽、上海，民國三十八年來到台灣。

民國四十年代初期，他進入中國廣播公司做剪報、貼資料的工作，意外寫了一篇廣播稿，竟然比老手寫得還好，於是就讓他專門寫稿，開始了他的作家生涯。此後，他用本名和「方以直」的筆名，在台灣各報紙副刊寫了許多文章。民國六十七年應美國西東大學的邀請，負責編寫華文教材的工作，從此定居在美國紐約。

王鼎鈞是遷台以來公認的散文大家，寫了二十多本散文，文字精練，風格多樣，無論抒情、說理都極為出色。他的成名作「人生三書」中的第一本—開放的人生出版於民國六十四年，直到今天仍然膾炙人口。「人生三書」的另外兩本—「人生試金石」和「我們現代人」也同樣都是勵志散文的經典。

他獻身寫作四十餘年，全身投入，熱情不減。他以雅潔的語文，表達深遠的寄托。他的文筆流暢，記錄了從外省族群從抗日戰爭到播遷台灣的流離，字裡行間，時時流露出那個時代人的眼淚和痛苦，但也從辛酸和苦難中看到中國人的微笑和希望。他的散文文筆瀟灑、句型漂亮、音節優美，在在都呈現他厚重的文字根底。

【題解】

王鼎鈞曾說自己「是基督徒，佛經讀者」，希望能用佛理來補基督教義的不足，顯現出傳統文人立足於人世，對宗教思想兼容並蓄的基本觀念；又說自己「閱歷不少，讀書不多，文思不俗，勤奮不懈」，對文學的創作帶著相當的熱情，也因此他的作品用字遣詞較淺近，寄意卻頗深遠。

本文選自王鼎鈞的散文集《左心房漩渦》，以往生後的揀拾腳印傳說為緣起，呈現思鄉的情懷，也對自己的一生做總體的回顧。王鼎鈞生於山東，青少年時期碰上八年的對日抗戰，歷經流離；其後隨著國民政府播遷來台，中年之後又定居美國，漂泊是他生命的基調，也是他文學創作的基調。這篇文章和〈人生不能真正逃出故鄉〉，被視為王鼎鈞最具文化厚度的鄉愁作品。

【本文】

鄉愁是美學，不是經濟學。思鄉不需要獎賞，也用不著和別人競賽。我的鄉愁是浪漫而略近頹廢的，帶著像感冒一樣的溫柔。

你該還記得那個傳說，人死了，他的鬼魂要把生前留下的腳印一個一個都揀起來。

為了做這件事，他的鬼魂要把生平經過的路再走一遍。車中船中、橋上路上、街頭巷尾，腳印永遠不滅。縱然橋已坍了，船已沉了，路已翻修鋪上柏油，河岸已變成水壩，一旦鬼魂重到，他的腳印自會一個一個浮上來。

想想看，有朝一日，我們要在密密的樹林裡，在黃葉底下，拾起自己的腳印，如同當年揀拾堅果。花市燈如晝(1)，長街萬頭鑽動，我們去分開密密的人腿揀起腳印，一如當年拾起擠掉的鞋子。想想那個湖！有一天，我們得砸破鏡面，撕裂天光雲影(2)，到水底去收拾腳印，一如當年採集鵝卵石。在那個供人歌舞跳躍的廣場上，你的腳印並不完整，大半只有腳尖或只有腳跟。在你家門外窗外後院的牆外，你的燈影所及你家梧桐的陰影所及，我的腳印是一層鋪上一層，春夏秋冬千層萬層(3)，一旦全部湧出，恐怕高過你家的房頂。

有時候，我一想起這個傳說就激動，有時候，我也一想起這個傳說就懷疑。我固然不必擔心我的一肩一背能負載多少腳印，一如無須追問一根針尖上能站多少天使，可是這個傳說跟別的傳說怎樣調和呢，末日大限將到的時候，牛頭馬面(4)不是拿著令牌和鎖鍊在旁等候出竅的靈魂嗎，以後是審判，是刑罰，他那有時間去揀腳印；以後是喝孟婆湯⑸，是投胎轉世，他那有能力去揀腳印。鬼魂怎能如此瀟灑、如此淡泊、如此個人主義？好，古聖先賢創設神話，今聖後賢修正神話，我們只有拆開那個森嚴的故事結構，容納新的傳奇。

我想，揀腳印的情節恐怕很複雜，超出眾所周知。像我，如果可能，我要連你的腳印一併收拾妥當。如果揀腳印只是一個人最末一次餘興，或有許多人自動放棄，如果事屬必要，或將出現一種行業，一家代揀腳印的公司。至於我，我要揀回來的不止是腳印。那些歌，在我們唱歌的地方，四處有拋擲的音符，歌聲凍在原處，等我去吹一口氣，再響起來。那些淚，在我流過淚的地方，熱淚化為鐵漿，倒流入腔，凝成鐵心鋼腸，舊地重臨，鋼鐵還原成漿還原成淚，老淚如陳年舊釀⑹。人散落，淚散落，歌聲散落，腳印散落，我一一仔細收拾，如同向夜光杯中仔細斟滿葡萄美酒。

也許，重要的事情應該在生前辦理，死後太無憑⑺，太渺茫難期。也許揀腳印的故事只是提醒遊子在垂暮之年⑻作一次回顧式的旅行，鏡花水月⑼，回首都有真在。若把平生行程再走一遍，這旅程的終站，當然就是故鄉。

人老了，能再年輕一次嗎，似乎不能，所有的方士⑽都試驗過、失敗了。但是我想有個祕方可以再試，就是這名為揀腳印的旅行。這種旅行和當年逆向，可以在程序上倒過來實施，所以年光也彷彿倒流。以我而論，我若站在江頭江尾想當年名士過江成鯽⑾，我覺得我二十歲。我若坐在水窮處、雲起時看虹，看上帝在秦嶺⑿為中國人立的約，看虹怎樣照著皇宮的顏色給山化妝，我十五歲。如果我赤足站在當初看螞蟻打架看雞上樹的地方讓泥地由腳心到頭頂感動我，我只有六歲。

當然，這只是感覺，並非事實。事實在海關關員的眼中，在護照上。事實是訪舊半為鬼⒀，笑問客從何處來⒁。但是人有時追求感覺，忘記事實，感覺誤我，衣帶漸寬終不悔⒂。我感覺我是一個字，被批判家刪掉，被修辭學家又放回去。我覺得緊身馬甲⒃扯成碎片，舒服，也冷。我覺得香腸切到最後一刀，希望是一盤好菜。我有腳印留下嗎，我怎麼覺得少年十五二十時⒄騰雲駕霧⒅，從未腳踏實地？古人說，讀書要有被一棒打昏⒆的感覺，我覺得「還鄉」也是，四十年萬籟無聲⒇，忽然滿耳都是還鄉，還鄉，還鄉你還記得嗎？鄉間父老講故事，說是兩個旅行的人住在旅店裡，認識了，閒談中互相誇耀自己的家鄉有高樓。一個說，我們家鄉有座樓，樓頂上有個麻雀窩，窩裡有幾個麻雀蛋。有一天，不知怎麼，窩破了，這些蛋在半空中孵化，幼雀破殼而出，還沒等落到地上，新生的麻雀就翅膀硬了、可以飛了。所以那些麻雀一個也沒摔死，都貼地飛行，然後一飛沖天。你想那座高樓有多高？願你還記得這個故事。你已經遺忘了太多的東西。忘了故事，忘了歌，忘了許多人名地名。怎麼可能呢，那些故事，那些歌，那些人名地名，應該與我們的靈魂同在，與我們的人格同在。你究竟是怎樣使用你的記憶呢。

……那旅客說：你想我家鄉的樓有多高？另一個旅客笑一笑，不溫不火(21)，我們家鄉也有一座高樓，有一次，有個小女孩從樓頂上掉下來了，到了地面上，她已長成一個老太太。我們這座樓比你們那一座，怎麼樣？

當年悠然神往，一心想奔過去看那樣高的樓，千山萬水不辭遠。現在呢，我想高樓不在遠方，它就是故鄉，我一旦回到故鄉，會恍然覺得當年從樓頂跳下來，落地變成了老翁。真快，真簡單，真乾淨！種種成長的痛苦，萎縮的痛苦，種種期許種種幻滅，生命中那些長跑長考長歌長年煎熬長夜痛哭，根本沒有時間也沒有機會發生，「昨日今我一瞬間(22)」，間不容庸人自擾。這豈不是大解脫，大輕鬆，這是大割大捨大離大棄，也是大結束大開始。我想躺在地上打個滾兒恐怕也不能夠，空氣會把我浮起來。

【注釋】

(1)花市燈如畫：宋朝朱淑貞（一說歐陽修）的生查子詞：「去年月元時，花市燈如晝。月下柳梢頭，人約黃昏後。今年元夜時，花與燈依舊。不見去年人，淚濕春衫袖。」作者引用這個熱鬧的元宵夜晚，所以說「長街萬頭鑽動」。

(2)砸破鏡面，撕裂天光雲影：破壞平靜的水面，把水中天與雲的倒影弄散。

(3)千層萬層：形容自己在家裡走動次數極多，所以腳印千層萬層的堆疊起來。

(4)牛頭馬面：傳說中羅王所差遣的使者，專門勾人魂魄的。

(5)孟婆湯：傳說人死後要再投胎轉世之前，先喝這個孟婆湯，就可以忘記前世的種種。

(6)陳年舊釀：存放很長時候的酒，特別美味。

(7)無憑：沒有依靠，沒有憑藉，所以下文說「渺茫難期」。

(8)垂暮之年：老年。垂，接近；暮，黃昏，指人生的晚期。

(9)鏡花水月：鏡裡的花，水裡的月，都不是真實的存在；這裡作者是反用這個典故，所以說「回首都有真在」。

⑽方士：追求或試驗長生不老藥的道士。

⑾名士過江成鯽：謂古往今來，名士極多，猶如過江之鯽。

⑿秦嶺：在陝西省，是中國南方和北方之間一條重要的自然地理分界線。作者以上帝在秦嶺和中國人立約，是利用聖經十誡的典故。

⒀訪舊半為鬼：出自杜甫詩〈贈衛八處士〉，謂離鄉多時，重回造訪時，舊日朋友已經一半入了鬼籍。

⒁笑問客從何處來：出自唐朝賀知章的〈回鄉偶書〉：「少小離家老大回，鄉音無改鬢毛摧。兒童相見不相識，笑問客從何處來？」呈現久違家鄉的疏離感。

⒂衣帶漸寬終不悔：出自柳永詞：「佇倚危闌風細細，望極春愁，黯黯生天際。草色煙光殘照裏，無言誰會憑闌意。擬把疏狂圖一醉。對酒當歌，強樂還無味。衣帶漸寬終不悔，為伊消得人憔悴！」本是寫情的詩句，用來形容類似「歡喜做，甘願受」的心境。

⒃馬甲：西洋古代女性使用的緊身胸衣。

⒄少年十五二十時：出自王維的〈老將行〉，表示年輕時代的豐沛活力。

⒅騰雲駕霧：這裡用以表示所處的位置虛浮，所以下文說「從未腳踏實地」。

⒆一棒打昏：形容書時的完全投入，心中完全沒有其他念頭。

⒇萬籟無聲：形容極端安靜，也就是完全沒有回鄉的想法。籟，音ㄌㄞˋ，孔竅。

(21)不溫不火：似應為「不慍不火」，慍是生氣的意思。

(22)昨日今我一瞬間：比喻時間的飛逝。

【問題與討論】

一、作者為什麼說：「鄉愁是美學，不是經濟學」？

二、王鼎鈞說自己「是基督徒，佛經讀者」，在本文中，哪些地方可以看出他並不局限於單一宗教的信仰？

三、文中除了「揀拾腳印」外，還引了哪些導向思鄉情懷的傳說？

四、文中舉了哪些古典詩詞的句子？這些句子又作何解釋？

二〇　日不落家（節選）

余光中

【作者】

余光中，民國十七年（西元一九二八年）重九日生於南京。
民國二十六年抗日戰爭起，隨母逃難，流亡於蘇皖邊境。
民國三十四年抗戰勝利，隨父母由四川回南京。
民國三十六年畢業於南京青年會中學，考取金陵大學外文系。
民國三十九年五月底，來台灣。在《新生報》副刊、《中央日報》副刊、《野風》等報刊發表新詩。九月，考入台大外文系三年級。
民國四十三年與覃子豪、鍾鼎文、夏菁、鄧禹平等人共創「藍星詩社」。出版詩集《藍色的羽毛》。
民國四十八年獲愛荷華大學藝術碩士學位。回台任師大英語系講師。主編《現代文學》及《文星》之詩輯，加入現代詩論戰。
民國五十一年獲中國文藝學會新詩獎，赴菲律賓出席亞洲作家會議。
民國五十三年詩集《蓮的聯想》出版。舉辦「莎士比亞誕生四百週年現代詩朗誦會」。應美國國務院之邀，赴美講學一年，先後授課於伊利諾、密西根、賓夕法尼亞、紐約四州。
民國五十八年詩集《敲打樂》、在《冷戰的時代》、《天國的夜市》出版。主編《現代文學》雙月刊。應美國教育部之聘，赴科羅拉多州任教教二年。

民國六十四年《余光中散文集》在香港出版，任香港中文大學聯合書院中文系主任。

民國七十年《余光中詩選》、評論集《分水嶺上》及主編《文學的沙田》出版。出席在法國里昂舉行的國際筆會大會，初晤柯靈與辛笛，並宣讀論文〈試為辛笛看手相〉。

民國七十五年擔任「木棉花文藝季」總策畫，並發表主題詩〈讓春天從高雄出發〉。

民國八十七年廣電基金會拍攝「詩壇巨擘—余光中」影集。應高雄市政府之邀主講「旅行與文化」，獲頒中山大學「傑出教學獎」。

民國八十八年，從高雄國立中山大學退休，仍長居高雄，持續不輟的創作。進入二十一世紀，擔任「搶救國文教學聯盟」總發起人，持續關懷下一輩國語文能力的養成教育；須要時，不惜以一己之力去跟教育部對抗。

余光中被譽為台灣文學界的跨世紀詩壇祭酒，自稱右手寫詩，左手寫散文。在台灣文學一片偏向柔美精巧的氛圍下，余氏以其陽剛的風格在文壇建立特色。他的國學底子本就極強，又輔以對外國文學的深入研究，因此能創造出『全盤西化、一去不復返，就是浪子；守株待兔般死守中文，就只是個「不能光耀門楣」的孝子』的觀點，對折中中西文化有其獨特的見解。

【題解】

本文節選自余光中的散文集《日不落家》（九歌出版社一九九八年），篇名跟書名重疊，可見這篇文章是整部散文集裡面最具代表性的一篇。文章共分三個部分，第一部分從當年有「日不落國」之稱的大英帝國當個引頭，轉換到四個女兒長大成人，分居北美、西歐，形成「日不落家」的「盛況」。身為父親的作者一一敘述她們的成就，字裡行間很明顯的感受到身為父親的自豪；第二部分寫身為父母的余氏夫婦從看電視新聞的氣象報告連想到身處寒帶的四個女兒，由此回顧女兒們童年的時光，既是記憶，也是父母關愛之情的呈現。

第三部分即是這篇選文，作者引《詩經》〈蓼莪〉篇的說法，強調父母之情以母愛為最多，也最辛苦。因女兒遺傳了白?的皮膚，戲稱為小白鼠，一家人就享受那「鼠倫之樂」。作者又發明「恩情」的算法，即「愛加上辛苦再乘以時間」，呈現對女兒的關懷之情只有日深一日，但是年紀漸大，小白鼠躲迷藏躲散了，「而她（孩子的母親）太累，一時也追不回來」，充滿了有餘不盡之味。

【本文】

母親的恩情早在孩子會呼吸以前就開始。所以中國人計算年齡，是從成孕數起。那原始的十個月，雖然眼睛都還未睜開，已經樣樣向母親索取，負欠太多。等到降世那天，同命必須分體，更要斷然破胎、截然開骨，在劇烈加速的陣痛之中，掙扎著，奪門而出。生日蛋糕之甜，燭火之亮，是用母難之血來償付的。但生產之大劫不過是母愛的開始，日後母親的辛勤照顧，從抱到揹，從扶到推，從拉拔到提掖(1)，字典上凡是手字部的操勞，那一樣沒有做過？〈蓼莪〉篇(2)說：「哀哀父母，生我劬勞。」(3)其實肌膚之親、操勞之勤，母親遠多於父親。所以〈蓼莪〉又說：「母兮鞠⑷我，拊⑸我畜我，長我育我，顧我復我⑹，出入腹⑺我。欲報之德，昊天罔極⑻？」其中所言，多為母恩。「出入腹我」一句形容母不離子，最為傳神，動物之中恐怕只有袋鼠家庭勝過人倫了。

從前是四個女兒常在身邊，顧之復之，出入腹之。我的肌膚白皙，四女多得遺傳，所以她們小時我戲呼之為「一窩小白鼠」。在丹佛⑼時，長途旅行，一窩小白鼠全在我家車上，坐滿後排。那情景，又像是所有的雞蛋都放在同一隻籃裡。我手握駕駛盤，不免倍加小心，但是全家同遊，美景共享，卻也心滿意足。在香港的十年，晚餐桌上熱湯蒸騰⑽，燈氛溫馨，四隻小白鼠加一隻大白鼠加我這大老鼠圍成一桌，一時六口齊張，美肴爭入，妙語爭出，嘰嘰喳喳喧成一片，鼠倫之樂莫過於此。

而現在，一窩小白鼠全散在四方，這樣的盛宴久已不再。剩下二老，只能在清冷的晚餐後，向國外的氣象報告去揣摩⑾四地的冷暖。中國人把見面打招呼叫作寒暄。我們每晚在電視上真的向四個女兒「寒暄」，非但不是客套，而且寓有真情，因為中國人不慣和家人緊抱熱吻，恩情流露，每在淡淡的問暖噓寒，叮囑添衣。

往往在氣象報告之後，做母親的一通長途電話，越洋跨洲，就直接撥到暴風雪的那一端，去「寒暄」一番，並且報告高雄家裡的現況，例如父親剛去墨西哥開會，或是下星期要去川大演講，她也要同行。有時她一夜電話，打遍了西歐北美，耳聽四國，把我們這「日不落家」的最新動態收集彙整⑿。

看著做母親的曳著電線，握著聽筒，跟九千里外的女兒短話長說，那全神貫注的姿態，我頓然領悟，這還是母女連心、一線密語的習慣。不過以前是用臍帶向體內腹語，而現在，是用電纜向海外傳音。

而除了臍帶情結⒀之外，更不斷寫信，並附寄照片或剪稿，有時還寄包裹，把書籍、衣飾、藥品、隱形眼鏡等等，像後勤支援前線一般，源源不絕向海外供應。類此的補給從未中止，如同最初，母體用胎盤向新生命輸送營養和氧氣：綿綿的母愛，源源的母愛，唉，永不告竭。

所謂恩情，是愛加上辛苦再乘以時間，所以是有增無減，且因累積而變得深厚。所以《詩經》嘆曰：「欲報之德，昊天罔極？」

這一切的一切，從珊珊⒁的第一聲啼哭以前就開始了。若要徹底，就得追溯到四十五年前，當四個女嬰的母親初遇父親，神話的封面剛剛揭開，羅曼史正當扉頁⒂。到女嬰來時，便是美麗的插圖了。第一圖是父之囊⒃。第二圖是母之宮⒄。第三圖是育嬰床，在內江街的婦產醫院。第四圖是搖嬰籃，把四個女嬰依次搖啊搖，沒有搖到外婆橋，卻搖成了少女，在廈門街深巷的一棟古屋。以後的插圖就不用我多講了。

這一幅插圖，看哪，爸爸老了，還對著海峽之夜在燈下寫詩。媽媽早入睡了，微聞鼾聲。她也許正夢見從前，有一窩小白鼠跟她捉迷藏，躲到後來就走散了，而她太累，一時也追不回來。

【注釋】

⑴提掖──提攜，照顧。

⑵〈蓼莪〉──出自《詩經》的《小雅》，內容在描寫子女對父母恩情的感念。

⑶哀哀父母，生我劬勞──悲哀ㄚ我的父母親，為了生我是這樣的辛苦。哀哀，哀而又哀，用以加強語氣。劬勞，辛苦；劬，音ㄑㄩˊ。

⑷鞠──養。

⑸拊──音ㄈㄨˇ，撫摩。

⑹顧我復我──不斷的照顧我。顧，照顧；復，反覆不斷。

⑺腹──抱，作動詞用。

(8)昊天罔極—跟蒼天一樣的無窮無盡。昊，音ㄏㄠˋ，大。罔，無。
(9)丹佛—美國科羅拉多州最大城，余光中曾應邀在該地講學。
(10)蒸騰—熱氣往上冒的樣子。
(11)揣摩—想像。
(12)彙整—收集整理在一起。彙，音ㄏㄨㄟˋ。
(13)情結—又稱情意結，是一種情感聚集的表現，會投射在某種事物上。
(14)珊珊—余光中的長女。其餘三女，依次序是幼珊、佩珊和季珊。
(15)扉頁—在書籍前附件第一面用文字、人像或圖形印刷的標題頁，稱為扉頁，比喻剛開始進行。
(16)囊—卵囊。
(17)宮—子宮。

【問題與討論】

一、在本文中，「日不落家」是什麼意思？
二、作者如何呈現母愛的深刻？
三、文中有哪些今昔的對比？

應用文：柬帖、會議文書、傳眞

第一章　柬　帖

第一節　柬帖之意義

柬帖原係書信之別名。古時無紙，書寫工具，率用竹帛。書於竹者謂之柬（柬亦作簡，二字通假），私函多用之。書於帛者謂之帖，公函多用之。此其大較也。

其後人文代變，酬酢頻繁，用於邀宴者謂之『請柬』，用於餽贈者謂之『禮帖』。時日既久，應用益廣，無論格式、措辭，均已定型，遂與書信釐然分疆，自成王國。而二者之特性亦已逐漸泯於無形，今則凡婚喪喜慶、交際應酬所用之簡短文書，概謂之柬帖。

吾國古時禮制，隆重而繁複，尤以婚嫁、喪弔爲甚，其專門術語，各種禁忌，雖窮畢生之力亦難盡悉。近數十年來，社會結構，變化甚大，民間習俗，改進甚多，舊日之繁文縟節，已大事删除。婚喪喜慶，力求簡單，交際應酬，儘量減少。因而各種柬帖，多所更改，以期與時代相適應。

第二節　柬帖之種類

柬帖用途廣泛，種類繁多，累紙所不能盡，惟就目前社會所通用者，約分四類：即婚嫁柬帖、慶賀柬帖、喪葬柬帖、普通應酬柬帖。茲分述之：

一、婚嫁柬帖　卽男女婚嫁所用之柬帖，分訂婚與結婚二種。我國婚禮，迄今尚無定制，或以民間習俗不同，或以家庭環境不同，或以宗教信仰不同，或以所受教育不同，有採舊式者，有行新式者，有新舊兼用者，亦有由法院公證者。時髦青年更有所謂旅行結婚、空中結婚、跳傘結婚、登山結婚、游泳結婚、海底結婚、狩獵結婚、溜冰結婚、海上結婚、露營結婚……等，林林總總，不一而足，儀式雖有不同，而所用柬帖則一。

至於訂婚證書、結婚證書、結婚禮單等，坊間均有出售，照格塡寫，極其簡單，可毋庸敍述。

㈠訂婚柬帖　男女間訂定締結婚姻之預約曰訂婚，法律上稱爲婚約。我國民法第九七二條規定：『婚約，應由男女當事人自行訂定。』訂婚不須舉行儀式，亦不須鋪張，祇宴請少數親友及介紹人卽可。所用柬帖，可先行印製，致送親友，亦可刋登報紙，徧告親友。通常由雙方家長或一方家長具名，無家長亦可由長輩具名，訂婚人年歲稍大者則多半由本人具名。由誰人具名，可靈活運用，不必拘泥。至其內容，應包括：㊀訂婚人雙方姓名，㊁訂婚日期，㊂訂婚地點，㊃介紹人姓名，㊄恭請受柬人光臨。若登報啓事則㊃㊄兩項可免，而改爲『特此敬告諸親友』。

㈡結婚柬帖　男女結合爲夫婦謂之結婚，我國民法親屬編規定結婚應有公開之儀式及二人以上之證人。見九八二條所用柬帖，可自行印製或刋登報紙，與訂婚同。具名方式亦與訂婚同。至柬帖內容，應包括：㊀結婚人雙方姓名，㊁舉行婚禮日期，㊂舉行婚禮地點，㊃介紹人姓名，㊄證婚人姓名，㊅恭請受帖人光臨。若登報啓事則㊃㊄㊅三項可免，而改爲『特此敬告諸親友』。

又訂婚及結婚所用請柬，以紅色金字爲最大方。

此外，請介紹人與證婚人之柬帖，措辭須恭敬，如請介紹人用『恭請　惠臨賜訓』，請證婚人用『伏乞　惠臨福證』。

二、慶賀柬帖

爲各種喜慶所用之柬帖，普通分壽慶、彌月、遷移、開張、揭幕五類，其名稱與格式，各有不同，視其用途而定。

㈠**壽慶柬帖**　爲慶祝生日所用之柬帖，通常由子孫或親友具名，亦有登報啓事者。惟登報啓事則多由親友具名，適用於社會上、政治上有地位之人士。

㈡**彌月柬帖**　爲慶祝兒女滿月之柬帖，此類柬帖僅分發親友，未有刋登報紙者。

㈢**遷移柬帖**　爲遷移新址而通知親友之柬帖，目的在使親友知悉，以便往來。尤其工商行號之遷移柬帖，多刋登報紙，旣爲營業所需，更可收廣告宣傳之效。

㈣**落成柬帖**　爲新建房屋落成而通知親友之柬帖，目的亦在使親友知悉，以便往來。

㈤**開張柬帖**　爲工商行號開始營業而向社會大衆宣傳所用之柬帖，多刋登報紙，以廣招徠。

㈥**揭幕柬帖**　揭幕亦稱開幕，本指劇場在開演時將幕揭開之意，其後引伸爲一切活動之開始，如展覽會、運動會、遊園會、新建大廈……之開幕，多發柬帖分寄親友及相關人士，或登報啓事，以達宣傳之目的。

三、喪葬柬帖

人之一生，始於出生，終於死亡，是以喪葬之禮，自古所重，其節文遠較婚嫁爲繁複。惟今殯儀館普遍設立，斂殯之事，悉由館方代理，一切儀節，已成公式化，喪家所當費心者，惟喪葬柬帖而已。舊時喪葬柬帖，大別爲六類：一曰報喪條（人死後喪家立即通知親友所用者），二曰訃聞，三曰送禮帖，四曰公祭通知，五曰告窆（安葬死者時通知親友之訃告），六曰謝帖。今人汰繁就簡，厲行節約，報喪條與告窆多廢而不用。茲但述其餘四項：

㈠**訃　聞**　將死者之惡耗以書面通知其親友謂之訃聞，通常分爲親屬具名與代訃兩種。其中應詳具下列六項，以便親友前往弔唁。

1.死者之姓名字號。
2.死者生卒之年月日時。
3.死者享年〇〇歲或享壽〇〇歲。
4.開弔日期及地點。
5.安葬地點。
6.主喪者具名。

其方式分自行印製與登報啓事兩種，死者之政治或社會地位較高者，往往兩式並用。

㈡**送禮帖**　致送喪家禮品（如花圈、輓聯、輓幛之屬）。所用之柬帖，其格式與喜慶柬帖相同，但紙須用素色，計物不拘成雙字樣。如改送現金，則用白色信封（或將信封上之長方形紅框用黑筆塗黑亦可），將現金封入，上書『賻儀』或『奠儀』或『奠敬』新臺幣若干元即可，亦不必成雙。

㈢**公祭通知**　凡機關、學校、社團等集體向死者致祭，謂之公祭。由主辦單位將公祭時間、地點通知各與祭人，以便準時參加，謂之公祭通知或公祭啓事。但爲簡便起見，有張貼於公告欄者，亦有刊登報紙者。

㈣**謝　帖**　謝帖分兩種：一爲領受禮物（如花圈禮金之屬）所用之謝帖，上書『領謝』（謝字須擡頭）二字，切不可用『璧謝』，禮物應全部收下。其下具名悉與訃聞同，惟『孤子』或『孤哀子』須改爲『棘人』。一爲向親友道謝之謝啓，可分別郵寄親友，亦可刋登報紙。時下最通行之格式爲：

謝
先嚴○○府君之喪，辱蒙
諸長官戚友頒賜輓額，並親臨弔唁，寵錫隆儀，高誼雲情，歿榮存感。謹此叩
棘人　○○○率子女謹啓

四、普通應酬柬帖

四、普通應酬柬帖　爲吾人日常交際應酬所用之柬帖，大致分請帖、送禮帖、謝帖三種。

㈠**請　帖**　凡宴會、酒會、茶會、邀約參觀等，例須寄送柬帖，帖上應寫明：

1. 宴會或參觀之性質。
2. 宴會或參觀之時間與地點。
3. 邀請受帖人光臨（用於宴會）或指教（用於參觀）。
4. 受帖人姓名。
5. 發帖人姓名。

6.回條。（覆知參加或因事不克參加）

㈡**送禮帖**　因親友婚嫁、喜慶送禮所用之柬帖，帖紙須用紅色，禮品忌用單數。如改送現金，則須加紅色封套，亦忌用單數。帖上應寫明：

1.禮物之名稱與數量。（如只有一軸，應寫作『成軸』，一副應寫作『成副』，其餘類推。）

2.係何種性質之禮物。（如『祝敬』『賀敬』『彌敬』等）

3.餽贈者之姓名。

按送禮之帖，應用日窄，今人爲簡便計，多改用名片或便條。

㈢**謝　帖**　謝帖分兩種：領受全部禮品用『領謝』，懇辭餽贈或領受一部分禮品用『璧謝』或『領受○○物件外餘璧謝』。帖上應寫明：

1.領受與否。

2.表示謝意。

3.發帖人姓名。

4.敬使若干。

第三節　柬帖實例

（一）婚　嫁

㈠**訂　婚**

1. 由雙方家長具名

（一式）

謹詹於三月五日（星期六）為三男偉仁／次女湘筠在臺北市訂婚敬備菲酌恭候

光臨

恕邀

席設：狀元樓（臺北市開封街一段九〇號）

時間：下午六時三十分入席

彭淚

唐燕華

黃雨亭

張令暉

謹訂

（二式）

三男偉仁／次女湘筠承杜行方／錢蔚章先生介紹謹擇於民國六十八年四月九日（星期日）在臺北市訂婚敬治菲酌恭請

光臨

恕邀

地點：狀元樓（臺北市開封街一段九十號）

時間：下午六時三十分

彭淚

唐燕華

黃雨亭

張令暉

鞠躬

2.由男方家長具名

台光

謹詹於四月九日（星期日）爲三男偉仁與黃雨亭先生令嬡湘筠小姐訂婚敬備茶點　恭候

彭　浪
唐燕華　謹訂

地點：臺北市師大路九十三巷五號本宅
時間：下午七時

3.由女方家長具名

台光

小女湘筠承
杜行方
錢蔚章先生之介紹於四月九日（星期日）下午七時假座臺北市開封街一段九十號狀元樓與
彭偉仁君訂婚謹備菲酌　恭候

黃雨亭
張令暉　鞠躬

4.由雙方當事人具名

我倆承
杜行方
錢蔚章先生介紹並徵得雙方家長同意謹擇於四月九日(星期日)在臺北市訂婚敬治菲酌　恭請
光臨

彭偉仁
黃湘筠　鞠躬

恕邀
一、席設：臺北市開封街一段九〇號元樓
一、時間：下午六時三〇分

5.由長輩或親族具名

謹詹於國曆四月九日夏曆三月十日(星期日)爲世姪偉仁與黃雨亭先生之女公子湘筠小姐訂婚敬備菲酌恭候
台光

尹之奇謹訂

心心相印

席設：臺北市開封街一段九〇號元樓
時間：下午七時

【說明】

㈠詹，通占，卜也，卽選擇吉日之意。

㈡恕邀，意謂本當親自登門邀請，因人數衆多，有所不便，改寄柬帖，請求受帖人寬恕。按此二字列入與否，可斟酌爲之。

㈢除分寄柬帖外，如須刊登報紙，其格式與此略異，請參閱本書第十二章啓事廣告有關範例。

㈡結　婚

1.由雙方家長具名

謹詹於民國六十八年四月九日（星期日）爲三男偉仁／次女湘筠　在臺北市舉行結婚典禮敬備喜筵恭請

闔第光臨

永結同心

彭泿
唐燕華
黃雨亭
張令暉　謹訂

恕邀

席設：狀元樓
臺北市開封街一段九〇號

時間：下午六時觀禮七時入席

2. 由男方家長具名

謹訂於國曆五月十三日（星期六）為三男偉仁與張令暉女士之女公子黃湘筠小姐舉行佛化儀式婚禮敬備潔素喜筵　恭請

闔第光臨

花好　月圓

彭滬
唐燕華　謹訂

席設：華嚴蓮社
臺北市濟南路二段四十四號
時間：下午六時觀禮六時卅分入席

3. 由女方家長具名

小女湘筠訂於國曆五月六日夏曆四月十日（星期日）與彭偉仁君舉行結婚典禮敬治喜筵　恭請

闔第光臨

天長　地久

黃雨亭
張令暉　鞠躬

恕邀

◁◎▷

席設：圓山大飯店金龍廳
臺北市中山北路四段
時間：下午六時觀禮六時半入席

4.由雙方當事人具名

（一式）

茲承
杜行方
錢蔚章先生介紹並徵得雙方家長同意謹擇於民國六十八年四月十四日（星期六）在臺北市舉行
結婚典禮敬治喜筵　恭候
光臨

天賜
良緣

彭偉仁
黃湘筠　鞠躬

恕邀

◎
席設：圓山大飯店麒麟廳
　　　臺北市中山北路四段
時間：下午六時觀禮六時半入席

（二式）

我倆情投意合願結連理並經雙方家長同意謹訂於四月十四日（星期六）上午九時在臺北市
地方法院公證結婚中午十二時在臺北市師大路九十三號自宅敬治喜筵　佇迓
高軒

彭偉仁
黃湘筠　謹訂

恕邀

（三式）

我倆經雙方家長同意謹訂於民國六十八年四月十五日（星期日）中午十二時假臺北市新生南路三段聖保羅教堂舉行天主教儀式婚禮下午六時在臺北市忠孝東路一段二號希爾頓飯店香檳廳略備西點　恭候

台光

彭偉仁
黃湘筠　謹訂

5. 由長輩或親族具名

世姪女黃湘筠小姐與彭偉仁君訂於四月二十二日（星期日）假座中泰賓館鳳凰廳舉行結婚典禮潔治喜酌　敬請

光臨

邵彥銘　謹訂

席設：臺北市敦化北路二十一號
時間：下午五時卅分觀禮六時入席

緣訂三生

（二）壽 慶

㈠祝 壽

1.由子女具名

（一式）

月之十五日（星期日）為
家嚴九旬壽辰潔治桃觴恭請
闔第光臨

恕邀◎◎
席設：臺北市龍泉街八十四號本宅
時間：下午六時

鄧 瑀 謹訂

（二式）

五月六日（星期六）為
家慈林太夫人八秩晉一誕辰敬治桃觴 恭請
闔第光臨

萱喜叢開

鄧 瑀 鞠躬

席設：杏花樓 臺北市信義路一段十二號
時間：下午六時卅分

2. 由親友具名

（一式）

五月十二日（星期三）為
鄭　顥先生八十華誕謹訂於是日下午四時起至六時止假臺北市延平南路實踐堂簽名祝嘏並
備桃麪　恭候
光臨
恕邀

發起人
謝鴻軒　王更生　王關仕
陳光憲　林聰明　黃義郎
謹訂

（二式）

國曆五月六日（星期六）恭逢
鄧瑀先生　令堂
林太夫人八秩晉一榮慶謹訂於是日上午九時起假臺北市青島東路婦女之家簽名祝壽並備壽
點　恭候
台光

發起人
謝鴻軒　王更生　王關仕　黃義郎
翁文宏　趙玲玲　林茂雄　張夢機
徐芹庭　楊啓蓉　莊雅州　陳文華
謹訂

(二)彌　月

（一式）

國曆五月卅一日（星期二）為小兒梅光彌月之期敬治潔筵恭候
夏曆五月初六日

台　光

恕邀

時間：中午十二時
地點：本宅

諸葛醒
王廷秀　謹訂

（二式）

本（五）月卅日（星期三）為小女梅馨誕生彌月謹訂於是日下午六時假新竹市中正路新陶
芳菜館潔治湯餅　恭請

光　臨

諸葛醒
王廷秀　鞠躬

㈢遷　移

1.住宅遷移

(一式)

台光
敝寓已遷至臺北市師大路九十三號謹擇於七月九日(星期日)下午六時潔治菲酌　恭候

諸葛醒
王廷秀　謹訂

(二式)

謹詹於國曆七月九日(星期日)舉家遷入臺北市師大路九十三號新居是日下午六時敬備薄酌　恭請

光臨

諸葛醒
王廷秀　鞠躬

2.公司行號遷移

（一式）

本公司經於八月六日遷移衡陽路四十九號新址營業凡我　舊雨新知務祈一本以往愛護之忱惠予照顧謹訂於八月九日上午十一時舉行慶祝酒會　敬請

光臨指教

恕　邀

新亞百貨公司董事長俞懷仁
總經理鄒文瀾　謹訂

（二式）

本公司爲擴展業務服務社會原址不敷使用特遷至武昌街二段六十二號並擇於八月九日上午九時開始營業敬備茶點　恭請

光臨指導

新亞百貨公司董事長俞懷仁
總經理鄒文瀾　鞠躬

㈣落　成

1.新屋落成

國曆九月四日（星期日）爲臺北市龍泉街九十一號新建房屋落成謹訂於是日中午十二時潔治菲筵　恭候

台　光

田　濬　謹　訂

2. 建館落成

本校為復興固有文化發揚倫理道德特斥資興建明倫館謹訂於民國六十八年十月一日（星期一）上午十時正在本館四樓舉行落成典禮　恭請

蒞臨指教

東華文藝專科學校 創辦人 彭逸塵
校長 張梅潔 謹訂

(五) 開張

本公司業經籌備就緒謹訂於九月十五日正式開張營業敬治雞尾酒會　恭請

光臨指導

新華交通公司 董事長 顧先敏
總經理 項宗玲 謹訂

時間：上午十時
地址：臺北市忠孝東路一段二十號
電話：三四一五九四三——九號（七線）

（一式）

(六) 揭幕

本院謹擇於國曆十月二日上午十時揭幕並請謝玲玲小姐剪綵敬備酒會恭請

光臨指導

光華大戲院總經理 陸九皋 謹訂

時間：十月二日上午十時起至十二時止
地址：臺北市寧夏路九十九號

（二式）

本律師事務所業已布置就緒謹訂於九月十五日（星期三）開始執行業務敬備茶點　恭請

光臨指教

孔南強敬啓

時間：上午九時起至十一時止

地址：臺北市襄陽路八十三號

（二式）

本公司新建保齡球館業已竣工謹擇於民國六十八年六月二日（星期日）下午四時隆重揭幕

特請

郭小莊小姐按鈕

鳳飛飛小姐剪綵敬備雞尾酒會　恭候

光臨指導

新臺育樂公司董事長　何夢霞

總經理　鮑筠軒　謹訂

恕邀

地址：新竹市東大路五十三號

由夫具名 喪妻

前上海市總工會理事 先室黃夫人諱月珍慟於民國六十八年三月七日下午七時五十分病逝永和中興醫院距生於民國四年四月十四日享年六十五歲茲擇於三月十九日下午一時在臺北市立殯儀館福壽廳設奠家祭二時公祭大斂隨即發引火葬　叨在

親友 誼謹此訃

聞

恕不另訃
鼎惠懇辭

杖期夫 **劉兆洋** 率子 **玉期** 泣啓

連絡處：臺北市錦州街四巷十弄七號全國鐵路工會聯合會　電話：五四一三六四六號
臺北市仁愛路三段七號之一全國總工會　電話：七七一七五二二號

由妻具名 喪夫

先夫徐公諱忠霖府君慟於民國六十八年二月二十二日下午八時二十分病逝中心診所距生於民國三年八月二十八日享壽六十六歲未亡人李慧珠率義女等隨侍在側當即移靈臺北市民權東路市立殯儀館親視含殮遵禮成服謹擇於民國六十八年三月二十日（星期二）假該館福壽廳上午八時設奠家祭九時公祭十時三十分大殮隨即發引樹林山佳葬於佛教公墓　叨在

世學
姻鄉
戚友 誼哀此訃

聞

未亡人 **李慧珠**
孤子 **孟墨**（陷大陸）　**孟安**（陷大陸）
媳 **亞南**（陷大陸）
孤女 **孟華**（陷大陸）
義子 **經偉國**（在美）　**劉元德**（在美）
義女 **劉元泰**（適羅）　壻 **羅立德**
孝孫女 **小蕾**　義外孫 **羅永**　**羅成**

同泣啓

由長子具名　喪母

顯妣柴母任太夫人慟於中華民國六十八年三月十六日上午二時五十五分病逝臺北市宏恩醫院距生於民國前二十二年二月十九日享壽九十歲不孝男之棣等隨侍在側當即移靈臺北市民權東路市立殯儀館親視含斂遵禮成服謹擇於民國六十八年四月十八日（星期三）假該館景行廳上午八時設奠家祭八時三十分公祭十時三十分大斂隨即發引安葬於陽明山墓園　叨在

族鄉學世戚友寅誼哀此訃

聞

孤哀子　之峯　之棣

孝　媳　嚴桂麗（陷大陸）　劉　萍

孤哀女　素　珍（適曹陷大陸）

孝　壻　曹子英（陷大陸）

孝　孫　金元　敬衡（陷大陸）　幼峯（陷大陸）　摩西　敬華　敬偉

孝孫媳　徐秀花

孝孫女　愛美（陷大陸）　愛英（適路）　愛麗（陷大陸）　愛珍（陷大陸）　愛多（陷大陸）　幗英（在美）　幗芬　幗瑾　幗君

孫女壻　路建華

曾　孫　一維

曾孫女　幼梅　幼蓮　幼婷

外曾孫女　路靜　路平

泣　叩

胞　弟　任謌根（在美）

弟　媳　王裕慶（在美）

族繁不及備載

鼎惠懇辭

喪　居：臺北市敦化南路四六四巷復華大廈二之一號二樓　電話：七七一二八九四

聯絡處：臺北市忠孝東路四段三二五號十樓　唐榮公司　電話：七五一〇三六二・七五一一八六〇

高雄市三多四路一〇九號　電話：二二一〇二七・二三二二七一

（四）普通應酬

㈠普通宴客

（一式）

謹訂於國曆六月十八日（星期六）下午六時敬備菲酌　恭候

台光

范伯純謹訂

席設：雲南人和園餐廳
地址：臺北市寶慶路四十一號
電話：三三一七四二三

（二式）

謹訂於國曆六月十八日（星期六）下午六時敬備薄酌　恭候

光臨

范伯純謹訂

席設：雲南人和園餐廳
地址：臺北市寶慶路四十一號
電話：三三一七四二三

敬

陪
謝

〇〇〇謹覆

(二)茶　會

謹訂於九月二十七日（星期三）舉行教師節慶祝茶會　恭請
光臨
時　間：下午四時至五時
地　點：校總區體育館
閻振興謹訂

(三)酒　會

國曆三月五日（星期四）為本公司創立十週年紀念是日上午十時起至十二時敬備酒會
恭請
惠臨指教
新亞百貨公司
董事長　梁佩芬
總經理　燕南翔
謹訂

(四)邀請參觀

謹訂於國曆四月二十五日起至三十日止假臺北市南海路歷史博物館舉行書畫展覽　敬請
蒞臨指教
時間：每日上午九時至下午五時
滕恭敏謹訂

五 邀請觀禮

謹訂於國曆六月二十五日（星期一）舉行本校第三屆畢業典禮　恭請

光臨觀禮

時間：上午九時

地點：本校大禮堂

私立東華文藝專科學校創辦人彭逸塵
校長張梅潔謹訂

六 謝師宴會

（一式）

謹訂於國曆六月二十日（星期日）下午六時三十分假本市中山北路二段紅寶石酒樓舉行應屆畢業生惜別餐會　恭請

蒞臨賜訓

世界新聞專科學校廣播電視科
全體應屆畢業生敬上

（二式）

爲感謝　師恩謹訂於國曆六月十五日（星期六）下午六時卅分假新竹市中正路新陶芳菜館舉行謝師酒會敬治潔筵　恭請

蒞臨訓誨

私立曙光女子中學六十七學年度
全體應屆畢業學生拜上

（三式）

崇　駕

韶華易逝駒隙頻遷猶憶馬帳方瞻倐驚驪歌遽唱　生等幸霑時雨如坐春風循鹿洞之舊規仰龍門之碩望勤修學藝藉效家邦惟盛德難酬敢期來日薄酒致敬聊卜今宵謹奉蕪箋　恭迎

靜宜女子文理學院中國文學系
六十七學年度全體畢業生　鞠　躬

時　間：六十八年六月十日（星期日）下午六時
地　點：臺中市學府路五十二號華湘餐廳二樓

㈦開　會

光　臨

茲訂於中華民國六十二年六月五日（農曆五月初五日）上午十時假臺北市舟山路僑光堂舉行癸丑詩人節紀念大會敬希　撥冗

中國文藝協會
新詩學會
中華詩學研究所
中興詩歌研究社
謹訂

錄自文史哲出版社出版應用文

第二章　會議文書

第一節　概　說

民主政治爲今日世界之共同潮流，吾國爲實行民主政治之國家，固當順應時代潮流，堅守民主陣容，庶幾一躍而登國家於富強之域，躋全民於安樂之天也。

民主政治之基本原則爲何，要而言之，在於糾結羣力，集思廣益，交換意見，擷長補短，從異中以求同，融個體於羣體，匯爲一個共同的意見，達到共同的目的。蓋個人之知識有限，能力有限，遇到重要問題，只憑個人之知識與能力，苦思冥索，未必得到適當之解決。故無論政府機關，民間團體，莫不重視會議。西人嘗謂民主政治即是議會政治，語雖誇大，有切事實。孫中山先生民權初步自序云：

民權何由而發達，則從固結人心，糾合羣力始，而欲固結人心，糾合羣力，又非從集會不爲功。是集會者，實爲民權發達之第一步。然中國人受集會之厲禁，數百年於玆，合羣之天性殆失，是以集會之原則，集會之條理，集會之習慣，集會之經驗，皆闕然無有。以一盤散沙之民衆，忽而登彼於民國主人之位，宜乎其手足無措，不知所從，所謂集會，則烏合而已。是中國之國民，今日實未能行民權之第一步也。

又云：

凡欲負國民之責任者，不可不習此書，凡欲固結吾國之人心，糾合吾國之民力者，不可不熟習此書，而徧傳之於國人，使成為一普通之常識。家族也，社會也，學堂也，農團也，工黨也，商會也，公司也，國會也，省會也，縣會也，國務會議也，軍事會議也，皆當以此為法則。

說明會議之重要性，以及會議運用範圍之廣泛，至為詳賅。從是可知會議為一切政治活動所必需，亦為每一現代國民不可或缺之必備常識。

至於會議之界說，則凡研究事理，解決問題，集合三人以上相與議論，而遵循一定規則者，謂之會議。民權初步第一節云：

凡研究事理而為之解決，一人謂之獨思，二人謂之對話，三人以上而循有一定之規則者，則謂之會議。無論其為國會立法，鄉黨修睦，學社講文，工商籌業，與夫一切臨時聚衆，徵求羣策，糾合羣力，以應付非常之事者，皆其類也。

內政部制定之會議規範第一條言之尤為具體明確。

三人以上，循一定之規則，研究事理，達成決議，解決問題，以收羣策羣力之效者，謂之會議。

由此可知會議構成之要件有二：㈠參加會議人數必須三人以上。㈡必須遵循一定之議事規則。其目的在尋求多數人之意見，趨利避害，以竟事功。

方今政府組織、社會結構日趨繁複，上自中央之立法院，下至民間之小型社團，均須舉行會議。而且可以在各種不同之時間，採用各種不同之形式，舉行各種不同之會議。因此會議類別，至為紛雜。就機關言，有院會，部務會議等。就學校言，有校務會議，訓導會議等。就社團言，有理事會議，監事會議等。就組織言，有委員會議，股東會議等。就工作言，有業務會議，專案會議等。就性質言，有檢討會議，審查會議等。就方式言，有聯席會議，座談會等。就大小言，有小組會議，會員大會等。就身分言，有代表會議，董事會議等。就節日言，有慶祝大會，紀念會等。就時間言，有定期會議，臨時會議等。就程序言，有三讀會，預備會議等。……名目繁多，無煩詳舉。要之，會議類型多，則會議文書自必亦隨之俱多。故會議文書，其道雖小，而爲用極廣，身爲大時代之國民，允宜略有所知，庶幾將來面對各種會議，而能從容應付，井然有序，不爲門外漢矣。

又『會議程序』亦爲吾人所當熟知者，其項目詳載於會議規範第八條，請參閱本章末附錄，玆不贅。

第二節　會議文書之種類

所謂會議文書，即關於會議所應用之文書，會議之類別雖多，而會議文書不過六種而已，玆分別說明於次：

一、開會通知

會議至少有三人以上之集議，故事前必須經過召集，縱爲定期性之例會，爲免出席人臨時忘記起見，亦應在會前發出通知。依照會議規範第三條第二項規定：『召集人應根據距離遠近及交通情形，於充裕之時間前，將開會日期、地點或議程，以書面通知各出席人，或公告之。』據此，則會議之通知，有兩種方式：一爲個別書面通知，即分送各出席人之開會通知。二爲開會公告，即以公告方式刊登於報紙，或張貼於布告欄，使出席人週知之通知。此兩種方式雖有不同，而其主要內容則均應包括：㊀開會日期㊁開會地點㊂議事日程。如不附『議事日程』，通知中應敍明開會宗旨及中心議題，俾參加會議人員事前對會議之性質有所了解，並對所研討之問題能深入思考，心理上有所準備。

二、議事日程

議事日程係開會前根據該次會議之實際需要，由會議祕書人員預為編定之會議進行程序，亦稱『會議程序』，簡稱『議程』。依照會議規範第八條規定，議事日程應包括下列五種項目：㊀由主席報告出席人數並宣布開會㊁報告事項㊂討論事項㊃選舉㊄散會。請參閱本章末附錄

三、開會程序

開會程序亦為開會預定之程序，但與議事日程不同，要而言之，其區別在於：

㈠議事日程係以書面印妥，分送各出席人員。而開會程序則多用大幅紙書寫，張貼於場內。

㈡議事日程多用於實際問題之討論，如會議、會報、簡報、座談會、討論會、研究會等。而開會程序則為無討論性質之集會，祇為慶祝、紀念、開幕、閉幕等舉行之儀式，故又稱「開會儀式」，如慶祝會、紀念會、週會、月會、開幕典禮、閉幕典禮、開學典禮、結業典禮等。

㈢以內容而言，議事日程較詳，開會程序較略。

至於開會程序之內容，以其種類繁雜，迄無固定之項目，可視實際需要，酌量增減。請參閱本章三節範例

四、會議紀錄

會議紀錄亦稱『議事紀錄』，乃由紀錄人員將會議經過情形以及討論決議事項予以筆錄之文書。會

議中之討論、決議、選舉等，均爲與會者共同決定之事項，不但須一一付諸施行，而且對與會者有拘束力，故會議紀錄應視爲重要文書。

會議紀錄之主要內容應包括下列各項：

㈠**標　題**　即會議名稱及會次，寫明其爲某會第某次會議紀錄。

㈡**時　間**　寫明集會之年月日時。

㈢**地　點**　寫明集會之場所。

㈣**出席人**　由出席人簽名其上。如另有簽到簿，則註明見簽到簿。

㈤**列席人**　同右。

㈥**主　席**　寫明主席姓名。如有主席團，須另立一項，將主席團姓名全部列上。

㈦**紀　錄**　寫明紀錄人員姓名。如會議繁複，紀錄人員在一人以上時，則須分別寫明各紀錄人員之姓名。

㈧**儀　式**　寫明開會儀式，通常記『行禮如儀』或『開會如儀』四字，如不舉行儀式，此項可省略。

㈨**報告事項**　包括開會宗旨，過去工作，上次決議案執行情形，本次會議議程以及其他有關事項。如係學術性之集會，則『專題報告』或『研究報告』，尤爲紀錄中之重要部分。

㈩**討論事項**　應依議程逐案記錄，每案須載明『案由』及『決議辦法』。如係討論學術問題，則應將各發言人之意見分別記錄，再記錄主席歸納之結論。

㈩一**選舉事項**　詳記選舉票數及結果。無此項目者從略

㈩二**臨時動議**　記錄各發言人之意見及表決後之結果。

㈩三**散　　會**　記明散會時間。

此外，亦有將『請假人』『缺席人』列入會議紀錄者，紀錄人員可視實際情形斟酌其去取。又每次會議紀錄應由主席及紀錄人員於散會後分別簽署，以示負責。

按會議紀錄通常須印發參與會議之人員與機構，如有決議事項，須交給與會某人或某機構辦理者，應在發會議紀錄時，同時發一通知，其格式如次：

某月某日某會第某次會議討論事項內某某一案（錄案由），經決議某某辦法（錄決議全文）相應錄案函達，即希

查照辦理爲荷。此致

某某先生（或機構）

○○○（主席或主持機構具名）○月○日

五、提　案

依會議規範第三十四條規定：『動議以書面爲之者稱提案，提案除依特別規定，得由個人或機關團體單獨提出者外，須有附署，其附署人數如無另外規定，與附議人數同。』所謂『與附議人數同』云者，即按會議規範第三十二條規定：『動議必須有一人以上附議始得成立。』故提案除別有規定者外，須有一人以上之附署人署名，始能成立。

提案之內容應具備左列五項：

㈠**案　由**　簡述全案之主要意旨，與一般公文之『主旨』相同。

㈡**說　明**　亦作『理由』。說明提案之理由及目的。

㈢**辦　法**　須具體可行，避免空泛。

㈣**提案人**　人數多寡不拘。

㈤**附署人**　須一人以上。

六、選舉票

會議有選舉時，除舉手選舉外，大都用投票選舉，此種投票選舉所用之投票紙，稱爲選舉票。

依照會議規範第八十九條規定：選舉之方式，分爲下列兩種：㈠舉手選舉㈡投票選舉。故會議中有選舉時，除採取唱名、舉手方法推選外，則用選舉票選舉，兩者相較，當以票選較爲愼重。但我國憲法爲發揮民主精神，使選舉人有充分之自由行使選舉權起見，特在第一百二十九條中規定：『本憲法所規定之各種選舉，除本憲法別有規定外，以普通、平等、直接及無記名投票之方法行之。』是則一般之選舉，當以無記名投票法爲宜，以符合憲法民主、自由之立法精神。選舉票有『圈選法』與『書寫法』兩種，更有記名選舉與無記名選舉之分，單選法與連舉法之別。所謂圈選法，即將候選人姓名，依排列號碼之次序，印在選舉票上，由選舉人自由圈選。而書寫法則將選舉之項目或名稱印在選舉票上，由選舉人憑自己的意志，書寫被選舉人之姓名。如爲記名選舉，應將『選舉人』三字印在選舉票上，由選舉人親自簽章，以示負責。若用無記名選舉法，則『選舉人』三字可免印。現在爲簡便起見，通常用無記名圈選法者爲多。至於單選法，係在選舉票上祇能選舉一人。而連舉法則可同時連選若干人，但超過規定應選人數時，則選舉票全部無效，此爲選舉人所應特別注意者。

由於選舉制度不同，方式極多，選舉票之內容自亦不盡相同，惟一般選舉票應記載下列項目：㈠選舉名稱㈡候選人姓名及編號㈢選舉人簽名（限記名投票用）㈣選舉年月日㈤選舉團體或主辦選務機關蓋章。

第三節　會議文書範例

（一）開會通知

㈠書函式

【例　一】

國立中央大學書函

○年○月○日
○字第○○號

受文者：（各單位主管暨教授代表）

主　旨：定期召開本（九十二）學年度第一次校務會議，請出席。

說　明：一、本校訂於本月○日（星期○）○午○時假本校會議室召開本（九十二）學年度第一次校務會議。

二、台端如有提案，請於本（○）月○日以前送交祕書室彙辦。

三、附議事日程一份。

（國立中央大學條戳）

【例　二】

開會通知

○○字第○○號
○年○月○日

受文者：○委員○○

主　旨：茲定於○年○月○日（星期○）○午○時，在本會第○會議室舉行第○次委員會議，請查照，屆時出席。

說　明：附送議程及有關資料各一份。

○○委員（長戳）

【例　三】

花蓮縣基層建設研究會籌備委員會通知

中華民國○○年○月○○日
○○字第○○號

受文者：各委員

主　旨：本會奉准組織，業已籌備就緒，訂於○月○日○午○時在○○召開成立大會及選舉理監事，請查照準時出席。

主任委員　○　○　○

【說　明】

㈠右舉三例爲書函式之開會通知，其格式與一般公文中之『書函』相同。

㈡前二例爲附有『議事日程』之通知，如議題單純，可免去『議事日程』，只在『校務會議』或『委員會議』之下，接寫開會宗旨或中心議題，例如『討論七十三年度發展計畫』，俾出席人在開會之先，對本次會議有充分之準備。

㈢提案應在開會前繕印，以便開會時分發各出席人，故在開會通知中，最好能一併通知提出提案之時限，以免不及繕印。

㈣開會通知係有時間性之文件，如因時間迫促，為恐受文者公務繁忙，一般開會通知多在信封上加蓋『開會通知提前拆閱』戳子，俾受文者能及時拆閱，準時出席。

㈡柬帖式

中山學術基金會開會通知

中華民國××年×月××日
××××字第××××××號

　　茲定於×月×日×午×時，在本市××路××號召開本會第×屆第×次董事會議，附議事日程一份，務希準時撥冗出席。如有提案，請於×月××日以前以書面送交本會祕書處，以便彙印。此致

○董事○○

董事長　○　○　○

仁哲技術學院開會通知

會 議 名 稱：人文關懷學程跨校合作協調會議

會 議 日 期：九十六年八月二十四日

會 議 時 間：下午 3：00-下午 4：00

會 議 地 點：仁哲技術學院會議室（總 2145）

會議召集人：校長

會議出席人員：各科系主任

會議聯絡人：王大同（1234-5678 / 0123-456789）

e-mail：Twiwan@yahoo.com.tw

會 議 流 程：

一、討論跨校合作協議書簽屬相關事宜

1. 跨校選課學分收費相關事宜。
2. 跨校合作協議書簽屬內容相關事宜
3. 跨校合作協議書簽屬代表、日期與方式相關事宜。

二、其它

學程總計畫與分項計畫工作之分配與協調。

＊以上資料若有更動將另行通知

【通知發出日期：九十六年八月十二日】

若無法出席或可能晚到，務請提前事先告知，謝謝您！

○○技術學院開會通知

受文者：通識教育○○主任

一、會議名稱：教育部以通識教育爲核心之全校課程革新計畫【第一年/三年計畫】

二、開會時間：96 年 12 月 13 日星期四 13：00–17：00

三、開會地點：○○館國際會議廳

四、進行方式：

（一）12/10(一)17:00 前繳交書面進度報告書

（二）會議中進行各小組簡報

（三）討論 12/17(一)期中報告繳交內容

五、主　　席：○○校長

六、議　　程：如附表

時間		內容	
13：00-13：30		校長與來賓致詞	
13：30-13：50		工作小組進度報告	
時間	分鐘	報告小組	報告人
14：00–14：25	25	通識課程綱要	王小明組長
14：30–14：55	25	軟硬體設備採購	張大同組長
15：00–15：25	25	課程暨教材設計	吳小心組長
15：30–15：55	25	實習教材設計	王四方組長
16：00–16：25	25	評量方式發展	張大世組長
16：25–17：00	35	綜合討論	

(五)公告式

東華彩色印刷公司董事會公告

〇〇年〇月〇〇日
〇〇字第〇〇〇號

主　旨：公告本公司〇〇年度股東大會開會時間及地點，請準時出席。
依　據：本公司章程第〇章〇節第〇條
公告事項：一、開會時間：〇年〇月〇日〇午〇時〇分
二、開會地點：〇〇〇〇〇
三、提案辦法：依照本公司章程規定，股東大會提案，應有股東三人以上附署，於開會前二日以書面送交本公司本會祕書室。

董事長　黃　小　蘋

(二) 議事日程

(一)條舉式

銓敘部『名人書牘選輯』編輯指導委員會第三次會議議程

時間：七十一年十二月十三日（星期一）下午二時三十分
地點：本部第一會議室
（甲）報告事項
一、主席報告

二、宣讀上次會議紀錄

三、承辦單位報告

㈠說明『名人書牘選輯』篇目注釋概況。

㈡『名人書牘選輯』共計一二〇篇，完成注釋者計一一七篇。

(乙) 討論事項

一、對『名人書牘選輯』注釋稿有重複者，加以選定。

二、對『名人書牘選輯』注釋稿之內容，予以審定。

(丙) 臨時動議

(丁) 散　會

中華詩學研究所第三次會議議事日程

一、主席報告出席人數，並宣布開會。

二、報告事項

1. 宣讀上次會議紀錄。
2. 報告上次會議決議案執行情形。
3. 常務委員報告。
4. 其他報告。

三、選　舉

四、討論事項

1. 前次會議遺漏事項

(1)……

(2)……

2. 本次會議預定討論事項

(1)……

(2)……

五、臨時動議

六、散　會

【說　明】

㈠本例爲一般會議議事日程之通常格式，由於各種會議之性質不同，會議程序自亦無法一致，如何應用，端賴讀者斟酌實情處理之。

㈡主席如爲臨時主席（卽發起人或籌備人），應寫明臨時主席，並應在第一項之後，增列一項『推選主席』。

㈢『報告事項』：(1)如爲首次會議，則第一款可免列。(2)如爲首次會議，或上次會議無決議案者，則第二款亦可免列。(3)無委員會或委員，或無報告必要者，第三款可免列。(4)如有其他報告（如工作報告，財務報告等），應將報告之事項或報告人一一開列，無則從略。

㈣『選擧』一項，如無選擧，可免列，如有選擧，應列入選擧之名稱，如爲臨時性質之選擧，需要討論選擧方式者，應列入。

㈤『討論事項』：⑴『前會遺漏事項』乃指前會有未完之事項，或指定之事項須於本次會議討論者，應將其案由及案號列入，無則免列。⑵『本次會議預定討論事項』應將各項預定討論事項之案由及案號一一列舉。並應將提案連同議程一併印發各出席人，不及與議程一併印發者，應在開會前分發。

㈥如有上級長官蒞臨指導，或邀請來賓致詞者，應於第一項之後加列『主席致開會詞』或『主席報告』，再接列『長官致詞』，然後列『來賓致詞』，以示敬謝之意。按長官與來賓之姓名不必書寫，可由司儀呼唱。

㈡表格式

【例一】

高雄市工業會成立大會議程

日期：○年○月○日○午○時
地點：○○○○○

項目	時間
一、開會儀式	十分鐘
二、報告事項	
㈠報告大會議程	十分鐘
㈡籌備委員會報告籌備經過	十分鐘
三、討論提案	
㈠擬訂本會章程草案（見附件），請公決案。	四十分鐘
㈡本會擬自國慶日起舉行國產工業品展覽一週，請公決案。	三十分鐘
㈢本會擬組織工業考察團至歐美各國考察藉資改進工業技術案。	二十分鐘
四、臨時動議	二十分鐘
五、選舉理監事	二十分鐘
六、散會	

【例 二】

中央警官學校第二屆師生大會議事程序表

日期：〇年〇月〇日
地點：本校大禮堂

時間	主持人	程序
08.00－08.50	校長	開幕式
09.00－09.50	校長	教育報告
10.10－11.00	校長	訓導報告
11.10－12.00	校長	教學報告
13.30－14.20	教育長	前期學生學習經驗 新生訓練心得報告
14.30－16.00	校長	集體討論
16.10－16.40	校長	閉幕式
19.00－21.50	校長	晚會

(三) 開會程序

㈠ 一般性大會開會程序

一、大會開始
二、全體肅立
三、主席就位
四、唱國歌
五、向國旗及　國父遺像行三鞠躬禮
六、主席恭讀　國父遺囑
七、主席致詞
八、長官致詞
九、來賓致詞
十、報告事項
十一、討論事項
十二、選舉
十三、臨時動議
十四、散會

【說　明】

㈠第一項至第七項爲開會之例行儀式，不可省免。『主席致詞』可改爲『主席報告』或『主席致開會詞』。
㈡長官與來賓之姓名不必書寫，可由司儀呼唱。無則免列。
㈢第十項至第十二項祇列要目，其細節由有關人員以口頭報告或說明。無則從略。
㈣以下所舉各例悉與此同，讀者可斟酌實際情形增減，不另說明。

(二)動員月會程序

一、動員月會開始
二、全體肅立
三、主席就位
四、向國旗及　國父遺像行三鞠躬禮（一鞠躬、再鞠躬、三鞠躬。）
五、主席恭讀　國父遺囑
六、主席復位（請坐下）
七、主席報告
八、宣讀動員公約
九、禮　成

(三)開學典禮儀式

一、民國九十二學年度開學典禮典禮開始
二、全體肅立
三、主席就位
四、奏　樂
五、鳴　炮
六、唱國歌
七、向國旗暨　國父遺像行三鞠躬禮
八、主席恭讀　國父遺囑（主席復位）
九、主席致詞
十、來賓致詞
十一、唱校歌
十二、奏　樂
十三、禮　成

㈣畢業典禮儀式

一、民國九十二學年度畢業典禮典禮開始
二、全體肅立
三、主席就位
四、奏　樂
五、鳴　炮
六、唱　國　歌
七、向國旗暨　國父遺像行三鞠躬禮
八、主席恭讀　國父遺囑（主席復位）
九、全體學員（生）向師長敬禮
十、全體學員（生）相互敬禮
十一、頒發畢業證書（學位證書）
十二、頒發獎品
十三、主席致詞
十四、來賓致詞
十五、學員（生）代表致答詞
十六、唱　校　歌
十七、奏　樂
十八、禮　成

㈤新舊任交接典禮儀式

一、交接典禮開始
二、卸任院長就位
三、新任院長就位
四、監交人就位
五、交接印信
六、監交人致詞
七、卸任院長致詞
八、新任院長致詞
九、禮　成

銓敘部『名人書牘選輯』編輯指導委員會第二次會議紀錄

時　間：七十一年四月十三日（星期二）上午九時

地　點：本部第一會議室

出　席：成召集委員惕軒　羅召集委員萬類　徐召集委員有守　李指導委員曰剛
王指導委員壽南　陳指導委員起鳳　王指導委員熙元　曾指導委員霽虹
封指導委員思毅　胥指導委員山春
陳編纂弘治　張編纂仁青　陳編纂貽鈺　蘇編纂源

主　席：成召集委員惕軒　紀　錄：王　惠　珠

（甲）報告事項

一、主席報告

㈠本選輯乃供公務人員閱讀，希望能達到進德修業，敦品勵行之效，並藉以增進其書牘寫作能力，故編選極爲愼重。

㈡各位指導委員所選篇目，經整理後共計百餘篇，本次會議卽請就所選者予以增刪，俾資決定，再行分配注釋工作。

㈢本書篇目順序，應按作者生年先後，由今溯古，予以編排。

二、宣讀上次會議紀錄（略）

（乙）討論事項

一、『名人書牘選輯』篇目之審定。

結論：經研議後，共選定書牘一一三篇。（如另册）

二、『名人書牘選輯』各篇注釋之分配。

結論：㈠經主席建議：增聘編纂委員二人，以加速注釋工作之進度。

㈡原編纂小組召集人王熙元教授赴韓講學，改請李指導委員曰剛代爲召集，並請曾指導委員霽虹參加編纂小組會議。

㈢俟所送篇目整理完畢，即定期通知召開編輯會議。

㈣指導委員對注釋工作有興趣者，歡迎自願參與。

（丙）臨時動議（無）

（丁）散　會　上午十一時卅五分

主席　成惕軒

紀錄　王惠珠

(五) 提案

臺北市議會第四屆第六次大會警政衛生部門提案之一

案　由：爲請增加警力，充實刑事設備，並加強在職訓練，以提高警察人員素質，維護治安案。

理　由：一、查本市竊盜問題日趨嚴重，雖然因素很多，但如不速謀求消滅竊盜根本辦法，則市民實難安居樂業，因此，希望警察局能努力改進偵防技能，嚴加防止，以期遏制。

二、爲求達到消滅竊盜之目標，主要應從下列幾點做起：㈠應增加警力，充實基層組織，並按比例增加刑警人員，加強訓練，提高素質，務使各種勤務密切配合實施。㈡應充實刑事設備：⑴建立完整之刑事系統通訊網，以求指揮靈活，行動迅速，發揮整體偵防功能。⑵配置機動交通工具，以應實際勤務需要，在未充實前應切實運用交通工具予以支援。⑶添置科學儀器，利用科學技術，提高破案率。㈢要與司法機關密切配合，促請司法機關對於竊盜犯從重量刑，並建議中央制訂一種特別法，嚴加懲處，對初犯者應施予職業訓練，使有一技之長，對怙惡不悛之頑劣慣竊，則應移送管訓，使其與社會隔離。

三、市府應寬列預算，迅速充實急需設備，以資維護治安。

辦　法：送市府迅速辦理。

提案人　○○○　○○○

附署人　○○○　○○○

私立輔仁大學建議案

案　由：凡考入大專院校學生，應由原肄業學校將操行資料抄本移送所考入之學校，以利考核。

說　明：按現行大專聯招辦法，學生報考學校，取中與否，完全憑學業成績，無視操行。各大專院校本身對學生品格是否優良，毫無選擇機會，如分發有操行不良分子，可能發生細菌傳染作用，增加訓導工作之困難。如能由原肄業學校將操行成績資料移送，俾各大專院校對新生增加了解，對於訓育工作之進行，必多裨益。

辦　法：由教育部明文規定於大專聯招辦法之中。

(六)　選　舉　票

(一)無記名圈選法選舉票

○○○○選舉票

圈選	候選人
1	○○○
2	○○○
3	○○○

○○○選舉事務所印製

中華民國○○○（蓋印）年○月○日

(三)記名圈選法選舉票

○○○○選舉票

圈選	候選人
1	○○○
2	○○○
3	○○○

選舉人○○○

○○○○選舉事務所印製

中華民國○○○（蓋印）年○月○日

(二)無記名書寫法選舉票

○○○○選舉票

候選人

○○○選舉事務所印製

中華民國○○○年○月○日（蓋印）

(四)記名書寫法選舉票

○○○○選舉票

候選人

選舉人○○○

○○○○選舉事務所印製

中華民國○○○年○月○日（蓋印）

(五)無記名圈選法罷免票

圖一

正面

（機關團體名稱）罷免票

中華民國○年○月○日（蓋印）

圖二

背面

同意罷免	不同意罷免
（被罷免人姓名）	

圖三

背面

同意罷免	不同意罷免	同意罷免	不同意罷免
（被罷免人姓名）		（被罷免人姓名）	

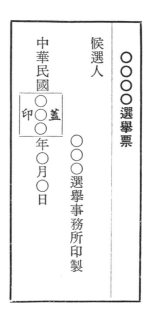

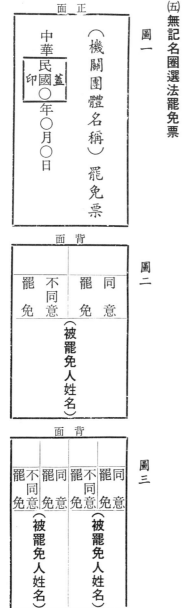

【說　明】

㈠第㈠至第㈣式爲選舉票式樣，第㈤式爲罷免票式樣。每張票應由主辦選罷機關團體印製、蓋印，以防僞造，且可避免糾紛。

㈡在圈選法選舉票上應加印『如不依定式圈選出框，或騎跨兩框，或模糊不清，致不能辨認，或夾寫其他文字者，選舉票一律作廢』字樣，以提醒選舉人注意。

㈢第㈤式圖二係被聲請罷免者爲一人時適用之，圖三則爲二人時適用之，如在二人以上，可依其人數增加其欄數。

第三章 傳 真

壹、傳真的用途

由於科學進步，百業俱興，公私交往頻繁傳真機的使用，不但能立即溝通兩地訊息，而且能將發件人發出之身件（文字、符號、圖像）真跡絲毫不差地傳給對方，諸如文稿、信函、慶賀、弔唁等，也可使用傳真送達對方。

還有一種傳真機與電腦功能結合的「傳真存轉」，在短時間內將傳真文件同時傳送各地收件人的傳真機上，或收件人的電子郵件信箱，它是忙碌的公務機關、公司行號或企業機構的好幫手，目前已被廣爲利用，使人們相互間的連繫更爲快速方便。

貳、傳真的格式

傳真的內容，可以是文字、圖表、圖畫或影像，依發件人需要而定，可自由安排，並無定式其文字的寫作方式則略同於書信、便條，內容雖可斟酌取捨，但仍應具備以下格式：

一、受件人名稱：收受傳真文件的對象要寫清楚，不宜省略，不然若是多人使用同一部傳機將無法確定誰是受件人。

二、正文部分按照文件性質書寫即可，如是公文就按照公文格式，一般書信就按照一般書信格式書寫。亦可依實際需要，將內容分項列點敘述，使其條理分明。

三、發件人姓名、日期、傳真機號碼等。

而爲了使傳真文件在傳送過程中不致有誤，最好的方式是爲每份傳真文件再製作一頁封面。封面上註明：①受件人的姓名、所屬公司或機構及其部門；②受件人的傳真號碼；③發件人的姓名、所屬公司或機構及其部門；④發送的時間，這樣，更能傳真文件準確送達受件人手上。

參、傳真的注意事項

一、傳真紙張多以A4爲主，四邊各留一公分空白，以利傳輸完整確實。

二、傳真文件面積如超出傳輸範圍時，應先縮爲A4尺寸或分頁傳送。

三、傳真文件之書寫以黑色筆爲之，字跡需清晰易辨，字體行間宜留適當間距。

四、務必填寫收件單位及收件人姓名、發件人單位及發件姓名，甚至填寫聯絡電話，方便後續聯絡。

五、注意傳真文件是朝上或朝下放置。

六、文件傳輸時，紙張上不可夾有異物，如迴紋針、釘書針等。

七、傳真重要文件，應於文件傳出後，電話連繫收件人，以確定文件是否清晰完整傳送。